ふにゃ ふにゃ
ぽちゃ ぽちゃ

子育てが楽しくなる日々の言葉

学校法人 星名学園 理事長 星名紀之 著

「本づくり」という名の父への贈り物

入園を希望するご家族の方、園に来られたお客さん、教材を販売に来る業者の方までいろんな方に懇切丁寧に子育ての楽しさ、幼児期の子どもへの接し方、この園のすばらしさを一時間でも二時間でも話し、最後はアコーディオンを弾いてバイバイする。話し終わった後は「あーあれ言うの忘れた」とか「もっとこんな風にいえば良かったかな」と反省をする。

そんな父は、私が生まれる前から地元（旧）七塚町での幼児教育のトップランナーでした。

自らあみ出した教育手法や理論を沢山持っており、法人としても八十四年（令和二年現在）の歴史があり、四千人以上の卒園生がいます。沢山の方が父の話を耳にしているのですが、そのすべてを受け止められた方はいません。

相手の立場にならないとわからない事がある。

じいちゃんの言葉は、

じいちゃんの年齢になって初めて実感のこもった言葉になる。

例えば父は左耳がほとんど聞こえなくなりました。耳が聞こえなくなって初めて、子どもたちの聴力や聞いて理解する力のすばらしさに気が付き、必死になって親世代に伝えますが、その親世代は聴力の低下が無いので実感がわきません。剣道や居合道で鍛えた瞬発力も年を取るとともに衰え、幼児期の子どもたちの動体視力のすばらしさに目を見張りますが、同じように感じてくれる人はわずかです。

私たち親世代が年を取り祖父母世代になった時に、これらの父の言葉、じいちゃんの言葉がようやく分かるようでは、今そばにいる子どもには遅いのです。そんな想いを募らせ、父にこの本づくりを薦めました。

この本には当園の幼児教育のノウハウや子育てのコツが記載されています。どこからでも気になった言葉のページから気軽に読んでいただいて、その一節でもなるほどと思ってもらう事が出来れば私たち親世代や子世代の幸せになると信じて疑いません。

木津幼稚園 園長　星名　裕

目次

「波が来た」

「水がかかる」

「貝殻があるよ」

「足が砂だらけ」

と波に向かって走り出し、

波が返すと叫びながら、後ずさり。

うれしそうに何度も繰り返し、

貝殻を拾い集めて、園に帰ります。

第一章

子育てとは

差し出した指を赤ちゃんの手が握りかえします。
ふにゃふにゃぬくもりがあり、ぽちゃぽちゃやわらかくて、
この幸せが楽しい子育ての第一歩です。

01

赤ちゃんが生まれたときのこと、誰もがしっかりはっきり覚えていることと思います。その喜びは、もう楽しいというか、嬉しいというか、幸せというか、その感動はとてもひとことで表せませんし、逆にひとことで表してしまうのはもったいないくらいです。

あの小さな小さな身体で、私が差し出した中指をあの小さな手、か細い指で握り返してくる赤ちゃん。その手には、なんともやさしいぬくもりがあります。ぽちゃぽちゃとした、やわらかさがあります。つい、ほおずりしたくなって、心いっぱいに、ふにゃふにゃな幸せがひろがります。

そのとき赤ちゃんを可愛いと思う、その瞬間の親の気持ちは純粋なのです。とても素直なのです。でも少しばかり時間が過ぎると、可愛さあまってなのか、愛するあまりなのか、他の赤ちゃんと比べるということを始めてしまいます。あの子はもう髪の毛が生えそろった、うちの子はまだ首が坐らない…。

一人ひとり成長の早さが違うことも、一人ひとりそれぞれに違う良さがあることも、ちゃんと知っているはずなのに、つい比べてしまい気持ちが落ち込んだりします。そんなとき、ちょっと比べることを止めて、赤ちゃんと最初に出会ったときの純粋さをぜひ思い出してみてください。

「いないいないばー」赤ちゃんに自分の顔を手で塞いで
「いないいないばー」と言ってその塞いだ手を開きます。
赤ちゃんが喜びます。面白いからまたしますね。

02

なぜ大人はこのように赤ちゃんをあやすのでしょう。可愛いから、愛しいから、泣くから。そうですね、赤ちゃんは、それは、それは可愛いのです、愛しいのです。あやすとなおよろこんでくれるのであやします。そうなのです、赤ちゃんは誰にもまして可愛いのです。なぜ可愛いのでしょう?。

赤ちゃんは可愛く生まれてこないと生きて行けません。そのため全ての赤ちゃんは可愛く生まれてくるのです。特に自分の子どもは可愛く生まれてくる様になっています。

その証拠に他の人が私の子どもの可愛がりようを見て「そんなに甘やかさなくても」と言っていた人がわが子が誕生すると、めろめろになって可愛がり、「いない、いないばー」とやっているのです。

「その弱々しさ。しっかり見守らないと」「その柔らかさ。しっかりと支えてあげないと」と思う反面、責任と負担が一生付きまとう訳です。ですから今、七十五歳の私ですがわが子の行く末まで心配で、いくつになってもその思いには変わりがありません。その上、孫の心配までしています。それが親というものです。

人は誰かのために尽くす、誰かのために役立つことは大変うれしいことで、赤ちゃんを授かりその世話をすることは何にもまして幸せなことなのです。

「おろん、おろんばー」

なぜ、おろんおろんとあやすのでしょう？

それもごく自然にさりげなく。

03

誰でも赤ちゃんを見ると「おろん、おろんばー」とあやしますね。なぜでしょう?実はそれが知らず知らずのうちに、舌の動かし方や唇の動かし方、発声の仕方、顔の表情の作り方などを自然に教えていることになっています。

これが幼児教育の原点であり、これが良き教育環境を設えることなのです。

当園では英語の先生が私に言葉を教える時「舌をVの字に曲げてそのまま丸めて、ピューと伸ばすのです」と言ってくれます。舌をVの字にしなさいと言われるのですが、その様にならないのです。私の舌の動きはもう退化しているのです。ちなみに中国の方が喋る唇の動きをビデオにとってスローで見てみると、なんと唇が波打っているのです。

「おろん、おろんばー」とこのあやしいあやし言葉は、言葉教育の原点です。どんどん大いに繰り返し、投げかけてあげてください。

「あんよは上手、あんよは上手」。
ふにゃふにゃな足を両手で持ち、左右、交互に伸ばしたり
縮めたりして。早く歩かないかなと願いを込めて。

04

「おぎゃ、おぎゃ」と赤ちゃんが泣いています。「おーお、おっぱいか、オムツか」と言って赤ちゃんのところへ行き体を触わります。「あ、お尻がぬれている」「オムツを替えるよ」と言ってオムツを替えたあと、両足を持って「あんよは上手、あんよは上手」と話しかけながら運動をします。

なぜ、あやしながらオムツ交換をするのでしょう。もちろん、可愛いから遊んでいるのですが、早くハイハイして欲しい、早く歩いて欲しいと親の願いがあるからです。

毎日続けていると昨日よりも今日の方がよく動くように感じられます。もともと赤ちゃんはやわらかくふにゃふにゃですから、よく動くのですが親の欲目でその足がしっかりしてきたように思うのです。

特に初めての子どもは成長が気になります。「家の子だけ成長が遅いのでは」とつまらない心配をしながらも、どこか結果を求めているようです。

遊びは結果を求めない所にあるのです。結果を求めないから楽しいのです。おおいに体をさわり声を掛けましょう。

「痛いの、痛いの、飛んで行け」。
そのようなことを言っても飛んで行くわけではありませんが、
なぜか少し痛さが取れたようになるから不思議です。

05

赤ちゃんから少し成長し、首が座り、寝返りをし、ハイハイをするようになると、その成長を喜び「わー、ハイハイできた」と子どもと共に喜び合います。子どもも嬉しくて、こちらに近づいてきます。「おいで、おいで」と励まし、待ちきれず「おー、おーハイハイできた」と抱きしめます。それが親子の絆を深めることにつながります。

さて、それだけ動きが活発になると敷居の凸凹等につまずいて大きな声で「ギャーギャー」泣いたりします。もうこの頃は目が離せません。大人からすればほんの少しのつまずきですが、子どもにしたら初めての経験で、それはそれは痛いのでしょう、辛いのでしょう。

その様な時「痛いの痛いの飛んで行け」と声をかけてあげます。しばらくすると、あら不思議、泣き止みニコニコと笑いだします。

これが子育て技術の一つで【だまし、だまし】なのです。ついそんなことで「泣かなくてもいいのに」と思いますが、子どもにしたら大変な出来事でそこには不安もあるのでしょう。その気持を汲み取り、抱き締め、声をかけ、泣き止んだ後、「泣いた顔笑った、泣いた顔笑った」と言って、一緒に笑い合いましょう。

「わー歩いた、歩いた」つたい歩きの手が
机から離れて2、3歩、歩き出しました。
「ここまでおいで、ここまでおいで」。

06

子どもが始めて歩き出しました、おぼつかない足取りで一歩一歩、歩き出しました。それはもう感動です。両手を広げ「ここまでおいで、ここまでおいで」と言い、励まします。

今にも倒れそう、今にも転びそう、二歩、歩いたか歩かないかの所で、子どもは私の体にもたれ掛かって来ます。それだけでも、立てたこと、少しでも足が前に出たこと、その成長が嬉しく、両手で抱きしめます。

「歩いた、歩いたよくできた」と言って褒めます。親バカだと思われるかも知れませんが、子どもの成長の一瞬一瞬を共に喜び合うのが親子の絆を深めることに繋がります。

昨今はなかなかこの喜び合う時間を取ることができなくなっているのではと思います。ご両親の仕事が忙しく、成長の素晴らしい時間が他人に取られていることがあるのではと感じています。

できるだけ子どもと接する機会を多く設け、成長の喜びを共に味わい、絆を深めることをお願いします。それが子どもの情緒の安定に繋がります。

夜泣きする、赤ちゃん。日中、授乳、オムツ交換、洗濯など
とても忙しいお母さん。やっと夜になって休もうとすると
「ぎゃー、ぎゃー」と泣き出します。

07

夜泣きが続くと、「もう、困る…。家の子、少しおかしいのでは？」と思うかも知れません。ほとんどの子が夜泣きをします。なぜ、夜泣きをするのでしょうか。

それは、赤ちゃんは夜行性だからです。

お母さんのお腹にいる頃、お昼に仕事や家事をしているお母さんに負担を掛けないように、赤ちゃんはじっと動かないでいるのです。そして、お母さんが休んでいる夜に、お腹の中で動いているのです。その習慣が生れてからもしばらく続くため、夜泣きをするのです。時期が来ると、夜しっかり眠るようになりますのでしばらくの間、辛抱してください。

その様な時期が赤ちゃんには多くあります。机の上の物を何でも触って落とす、口にいれる、新聞紙はちぎりまくる、それは、それは手に負えないくらいになります。「もうこの子は…」と思うかもしれませんが、時期がくれば、自然にしなくなります。お勉強をしている時期と思ってください。いずれ時間がくれば卒業します。

でも、しっかり見守ることが大切です。異物を口の中にいれて喉をつまらせるなどあるかも知れませんので注意が必要です。

わがままを言い、ケンカもする。
でも、自分でも気づかないうちに自分自身を成長させる、
そんな素敵な面を持っているのも子どもです。

08

私には兄弟が多くいて子どもの頃は、饅頭ひとつにしても母が八等分や十等分にしてくれた、その一切れを大事に食べていました。でもある時、母にわがままを言い張り、「饅頭ひとつ丸ごと食べたい」と言い、丸ごと食べたのですがですが、あまり美味しくなかったことを覚えています。

一人で丸ごと食べるとなぜ美味しくないのか、兄弟で分け合って食べた方がなぜか美味しいことを、無意識のうちに感じたというか、自分でも気づかないうちに学んだのだと思います。兄弟でケンカをすることも多かったのですが、特にケガをした記憶もないのは、お互いにこのくらいならケガをしないだろうという力加減を、ごく自然に身に付けていたのだと思います。

兄弟が多いと上の子が下の子の面倒を見て、下の子は上の子に学びながら育ちます。兄弟の面倒をみたことが、自分が親になってからの子育てにきっと活かされるに違いありません。子どもたちは自分でも気づかないうちに、それぞれに自分を育てる素敵な能力を持ちあわせているのだと思います。

近ごろは少子化で兄弟の数も減っていますし、一人っ子も少なくありません。でも今は園が、子ども同士で面倒を見合ったり、ケンカの力加減を覚えたり、そんな自分で自分を育てる大切な場となっているのかも知れません。

子育てを終えた年配の方々がよく言います。
「今から思えば子育てに苦労していた頃が一番楽しかった」と。
「楽しい子育て」をしっかり覚えておきたいものです。

09

子育ての頃は、自分の時間がなくて本当に忙しい毎日です。でもその頃が一番楽しかったと思いかえすのは、誰かの役に立って誰かの頼りにされているという生き甲斐を確かに実感できていたからなのではないでしょうか。

そう、それもその誰かというのは、ぬくもりがあり、小さな手足が無邪気に動く、わが子なのです。可愛くて愛しくて、抱きしめて、ほおずりして、そんな毎日を過ごしたことを、ぜひしっかり覚えておきたいものです。どんなに忙しくても、無意識のうちにでも「この子のためならなんでもできる」と頑張った大切な日々の記憶なのですから。

よく言われる言葉に「子をつくる」があります。でも「子はさずかる」ものなのだと思います。この世にはどんなに子どもが欲しいと思っていても、何かにお願いをしても、どんなにお金をかけたとしても、子どもに恵まれない方もいらっしゃいます。

そのことを考えると、今、腕の中に抱いている子どもが、まさに授かり物だと思えるでしょうし、宝物なのだと抱きしめる腕にもつい力が入ったりするのではないでしょうか。子どもの方もまた、抱きしめてくれるお母さんが嬉しくて、なんともいえない笑顔を返してくれます。

親としては、こんなに愛してあげたのにと思いがちです。
それなのに、愛された実感がなかったと振り返る子どもがいます。
一人よがりの愛情では、やはり伝わらないということです。

10

最近、幼児への虐待がニュースになることもあって、そんな時は悲しくなるばかりです。でも、親というもの、わが子が可愛くないはずはなく、愛情いっぱいに子育てするものだと思います。

それなのに、大人のなかには「子どものころ、自分は親に愛されたという実感がない」「自分がちょっと悪い道に入ったのは親にやさしくされなかったからだ」などと言う人もいます。どうなんでしょう。親は愛情を持って接していたと思っていても、その子には伝わっていなかった、単に愛情の一方通行だったということもあるのかもしれません。

子育ての愛情が記憶に残るようにするには、成長の一瞬一瞬を親子が一緒になって確認しあうことが大切なのではないでしょうか。例えば、伝い歩きから一歩を踏み出した瞬間、両手をひろげて待って強く抱きしめる。パパ、ママと言えるようになった瞬間、満面の笑みを見せて喜ぶ。そんな具体的な行動で成長を親子で一緒に喜び合いたいものです。

この喜びが頭の片隅に残り、邪道な道に誘われても、親を困らせてはいけないと思う心が働き、抑制できるようになるのではないでしょうか。

11

「子育ての専門家」と呼ばれる人たちがいます。
でも、あなたの子どもの子育て専門家はあなた自身です。
あなた以外にいるはずがないじゃありませんか。

子育ては専門家に任せた方がいい。そんなことをいう人もいますが、とんでもないと思います。その専門家というのが、学校の先生や園の先生だというのなら、少し考え直した方が良いのではないでしょうか。

もちろん当園の先生方も全力をあげて子どもたちを見守ります。でも、あくまで複数の子どもたちを担当しますので、どうしても愛情が分散されてしまいます。また日中だけという時間も限定されたものですので、どんなに頑張ってもお母さんには敵いません。預かり保育で先生が抱きしめていても、夕方お迎えのお母さんを見つけると、嬉しそうに飛んでいって抱きつきます。

子どもたちを預かる限られた時間には責任が持てても、その子の生涯にわたっての責任を持てるのはお母さんお父さんの他にはいません。子育ての本を読んでも、大学の先生の講演を聞いても、それらはあくまで一般的なアドバイスに過ぎなくて、あなたの子の子育ての専門家はあなたしかいないのです。

その子の成長の一瞬一瞬を親子で共に喜び合うことでこそ、その親子ならではの絆が深まるのではないでしょうか。そしてもちろん、当園での成長の一瞬一瞬についてはどんどん当園の先生に聞いて、子どもの素晴らしさを共に喜び合えば、親子の絆の輪がますます広がります。

大人たちが面白そうに遊んでいると寄ってきて、
楽しそうに話していると集まってきます。
そう、子どもたちはとても正直というか、すごく直感的です。

12

当園では毎日、芭蕉や一茶、蕪村の俳句を読んでいます。幼児期に俳句を聞かせるのは、名文・古文には心の魂を磨く力があり人間性を深めると考えているからです。そしてこの俳句を、子どもたちみんなが面白がってくれます。

子どもたちが面白がるのは、先生が楽しそうに、いかにも面白そうに読むからです。子どもたちが俳句の意味を理解できなくても、そんなことはお構いなしに勝手に俳句を読んでいると、いつのまにか子どもたちがごく自然に集まってきます。楽しくて面白そうにしていると「僕も聞いてみよう」「わたしも読んでみよう」とするようになります。

子育ては楽しいものだと、いつも言っているのですが、お母さんお父さんが子育てを楽しんでいるかどうかを、子どもたちは敏感に感じ取っています。それと同じで、先生が本当に楽しんでいるかどうかもまた、子どもたちは直感的に見透かしてしまうものです。

そう、子どもたちは何事にも興味を示し、自分でしたい、やってみたいという気持ちがあります。それを引き出すために、大人が面白そうに、楽しそうに見せると意欲的に取り組むようになります。

13

自主性。

「わ~自分で履けている」

自分でできる喜びを共に味わいましょう。

園からお帰りの時、玄関先で園児が自分で靴を履き替えようとしている時に「偉いね。自分で履いている」と言うと、おぼつかない手で履き替えようとします。

最近はズックもマジックテープで簡単に着脱できるようになっていますが、その二才半ばの園児は自分で履きかえるのが初めてのようで、その柔らかで、おぼつかない手には少し難しいのか、何度も挑戦しています。

保護者の方にしますと、早くして欲しいと思うのでしょう、つい手が出そうです。その時、私が「自分で履こうとしていますよ」と言ったものですから保護者の方も手が止まり、その動きを見守っています。結局、その園児は自分でちゃんと履け、保護者と私が「偉いね。自分でできたね」と褒めたものですから、その子はニコニコととても満足そうでした。

この様に子どもが何かをしようと行動を起こす瞬間を捕えて、「偉いね」とか「すごいね」と声を掛けると、ますます励むように思います。もちろん、時々失敗もしますが、良い経験となり、学ぶことも多くあると思います。

親子の辛抱で、できた時は共に喜びましょう。

14

叱るときも、子どもの耳元でささやいてください。
◯◯ちゃん大好きっ、◯◯ちゃんは私の宝物なのよ…。
愛を肌で感じられるよう心がけたいものです。

子どもたちの日々の成長と順応性の早さには、いつものことながら驚かされます。園の新学期の頃、「園に行くのイヤ！」と言って泣いていた子どももしばらくすると、新たな環境に慣れて活動が活発になります。ただ、活発になるということはそれだけ危険をともなうことも確かです。

それまで、どこかよそよしくて周りを見計らっていた子どもたちが、いろんな新しい遊びに挑戦してケガをしたり、友だちとケンカして服が破れたり、また行動範囲がひろがってくると、放課後に遠くの友だちのところに遊びに行ったりもします。そんな時は、子どもたちについ口うるさく言ってしまいがちです。「あぶない遊びはしないでね、友だちとは仲良くしなきゃダメじゃない、そんな遠くまで行って迷子になったらどうするの…」。その時はしおらしく小言を聞いていたとしても、翌日には何事もなかったようにまた同じことをするのが子どもたちです。

叱る時は叱らなければいけませんが、叱る前にまず子どもを抱きしめて「○○ちゃん大好きだから…」「○○ちゃんは私の宝物だから…」と、やさしく耳元で言ってあげてみてください。子どもは笑みを浮かべて満足そうな表情を見せてくれます。愛を実感させるよう、肌で感じさせるよう心掛けたいものです。

そのうちに少しづつお母さんとの約束が守れるようになるのでは。

園から帰ってきてほっとしている子に、
「きょうは何してたの」と問い詰めたりしないでください。
子どもが話し始めるのを待つゆとりが大切です。

15

入園当初の子どもたちは、環境の変化への対応や見知らぬ顔と毎日を過ごす緊張感から、心身ともに疲れたり体調を崩しがちです。お迎えのときや家に帰ってから、まずは「おかえりなさい」とやさしい声を掛けてゆっくり休ませてあげてください。「きょうは何したの」「ケンカなんかしなかった?」など、聞きたいことがいっぱいある気持ちはよくわかります。でも、幼稚園の慣れない団体生活の緊張感から解放され、ほっとしているところなのですから、追い打ちをかけるような質問をするのは我慢してください。そして、翌朝はそっと登園の準備をさせてください。

でも、子どもたちが園での出来事を話し始めたら、それはもう全身を耳にしてでも聞いてあげてください。自分の話したいことを話し、それをゆったりと聞いてもらえることで、子どもたちもその日の出来事をちゃんと自分のものにでき、その毎日の積み重ねが確かな成長へとつながります。

入園したら園と家との行き来がずっと続くことになります。プレッシャーなんかとは早めにサヨナラするためにも、園へ送った時は先生に任せてさっとお帰りください。「いい子にしてるのよ」そんなひと言は、たぶんプレッシャーになるだけですので不要ではないでしょうか。重ねて言いますが、先生を信頼し、任せていただくことが大切と思います。

あそびましょ。いっしょに行きましょう。
友だちを誘うとき、だれでも最初はちょっと勇気がいります。
その勇気が、人との関わりをひろげてくれるのです。

16

当園では、子どもたちが自分の好きなものを売るお店ごっごを楽しむことがあります。私のところにまで、「お店ごっこをするげー。お買い物にきてね」と、ドーナツの絵を描いたチケットを持ってきてくれます。そんなふうに誘われると、それは嬉しくてお店に行かないわけにはいきません。

「理事長先生にもチケットあげてお店にお誘いしてきてね」と、先生に言われて来ることもあるのですが、まったく自分たちだけで決めて私を誘いに来ることもあります。あとで先生に確認しても、「子どもたちに頼んでいませんよ」と言われ、そうか、子どもたちだけで決めて私を誘いに来るのは、やはり勇気がいったのではないかと、嬉しさも倍増です。

自主的に人を誘う、自分から声をかける。そんな時の子どもたちは、やはりちょっとした勇気をふりしぼっているのだと思います。その勇気が人と関わるきっかけになりますし、多くの友だちの輪がひろがることになります。

勇気を出しての子どもたちの誘いには、大人としてちゃんと応えてあげたいものです。最初は先生に言われて私を誘いにきた子が、次には自分一人で誘いに来て、その次は友だちを連れて誘いに来たり、そんな成長を目の当たりにするのもまた大きな喜びです。

その子の成長はその子の成長として認め、
わが子の成長はわが子の成長として素直に喜ぶこと。
子育ての楽しさは「比べないこと」から始まります。

17

ちょっと子育てに疲れているのかもしれない、いつもの元気がないような気がする、そんな時は、子どもが生まれたばかりのあの瞬間を思い出してみてください。小さな手のひらの小さな指が動いて握り返してくる赤ちゃんの、その温かさ、その柔らかさ、その可愛さに、ただただ感動していたことを…。

子どもが少しずつ成長するにつれ、赤ちゃんが誕生した時の感動を忘れ、どうしても他の子と比べたりしがちです。うちの子はまだ首が坐らない、まだハイハイしない、まだ歩かない、そんなふうに他の子と比べて早い遅いを気にしてばかりいたら、子育てに疲れてしまうのも当然です。

その子の成長には、その子なりの成長があるのです。そんなことは頭ではわかってはいても、他の子の成長を目の前で見てしまうと、つい比べてしまうのですよね。でも、他の子の成長に気づいた時は、素直にその子の成長を褒めてあげることを心がけるようにするのはどうでしょう。

お互いさまで、自分の子の成長に気づいてくれたお母さんが褒めてくれたら、その時の嬉しさはきっと二倍三倍になるはずです。また、自分では気づかないわが子の成長に、他からの褒め言葉で気づかされることもありますし、楽しい子育てのためには、とにかく他の子と比べることを忘れてしまってください。

日頃の子どもたちの凄さを見過ごさないでください。
どれだけ感動して、どれだけ褒めてあげることができたか？
褒めてあげた分だけ、子どもたちは成長します。

18

子どもたちの成長を後押しする一番の力は、いったい何なんだろうと考えることがあります。それは、日頃の子どもたちの変化に気づいたとき、「凄いこんなことができるようになったんだ」と感動して褒めるか、「誰にでもできる簡単なことじゃないか」と見過ごしてしまうかの違いではないでしょうか。

大人にしてみれば簡単なことでも、初めて、小さな、小さな声で「お・は・よ・う・ご・ざ…」とやっとこ言えたとき、「すごい」と褒めると自信がつき、次からしっかりと「おはようございます」と言えるようになるのです。

例えば野球でもサッカーでも、どんな名選手でも最初はボールを転がすところから始めたはずです。子どものころ、ちょっと投げてみた野球ボールやちょっと蹴ったサッカーボールを見て、すごい天才かもしれないなどと褒められた思い出をきっと持っているのではないでしょうか。

そんなふうに褒められると、次はもっと褒められたくてまた頑張ります。大人にとって当たり前のことでも、子どもたちにとっては初めてできたことや、この前より上手にできたことは、誰かに褒めて欲しいのです。それも、いつも一緒にいるお父さんやお母さんに褒められるのが一番嬉しいのです。

テレビやゲームで遊ばせておけば楽ですが、
人との関わりのない寂しい時間を過ごさせることになります。
手がふれあう、言葉がいきかう遊びが大切です。

19

いつもの日曜日はもちろん、ゴールデンウィークや夏休み、それにお正月休みなど、子どもたちは家族みんなで遊べるのを楽しみにしています。例えば、子どものころのお正月に、両親とカルタ取りやすごろく、トランプ遊びをしたことを覚えている方も多いのではないでしょうか。

でも、どうでしょう。近ごろでは、つけっぱなしのテレビに相手をさせたままだったり、ゲームで勝手に遊ばせていたり、そんなふうに子どもにさびしい思いをさせてはいませんか。

お母さんやお父さんが忙しくしているのを見ると、子どもたちは子どもたちで「忖度」するといいますか、自分一人で遊んでいたほうがいいんだと諦めて、テレビやゲームに向き合うことにいつしか慣れてしまいます。一方通行の機器ですから返事もなければ答えることもなく、言葉数が少なくなります。

人と関わりのある遊びの大切さは言うまでもありませんし、言葉を交わしながら、肌を触れ合わせながら遊んだ思い出は、その子が大人になった時の子育てにきっと役立つはずです。カルタ取りで手がふれあう時、トランプのババ抜きですぐに顔に出てしまう時、すごろくで一番に上がって大得意な笑顔を見せる時、子どもたちはもちろん大人にとっても、なにより幸せの意味を実感できる瞬間ではないでしょうか。

20

子どもたちはとても自分の気持ちに正直です。
教師や大人たちが、楽しそうに、面白そうにしていることには、
ごく自然に、笑顔で飛び込んできてくれます。

当園の教育について、「なぜそんなに早くから英語を教えるのでしょうか」と、質問を受けることが少なくありません。そんなときは、「英語を教えているというのとは少し違って、子どもたちが入り込みやすいよう、身近に英語のある環境を設えているだけなんです」と、ひとこと答えるばかりです。

たださりげなく生活の中で語りながら、さりげなく見せながら、さりげなく関わりながら、英語の会話や文字が楽しくて面白そうだと思わせる。それが英語の先生の役割といえば役割なのです。

外国の人が日本語を学ぶとき、例えば「飛ぶ、飛べ、飛びます、飛ばない」や、「走る、走れ、走ります、走らない」など、動詞が変化することにとても苦労するといいます。逆に日本人が英語を学ぶとき、「一匹の犬というときは、a dog」で、「一個のリンゴというときは、an apple」といった「aとan」の使い分けなど、最初はなじみがなくて苦労します。

でも、当園の子どもたちは、こんな使いわけなど簡単にこなしてしまいます。大人だとまず理屈で考えてからでないと覚えられないのを、子どもたちは幼児期ならではの柔軟な吸収力でごく自然に身に付けるのです。これからも英語が身近にあふれている環境をさらに設えていきたいと思っています。英語は幼児期でないと身に付きません。これは事実です。

人が生きるのに必要なのは衣食住です。
でも、もちろんそれだけではなくて、感性が人生を左右します。
多彩な生活のアクセサリーを増やしたいものです。

21

ことわざ辞典などでみると、「衣食住の三つに止まる」という言葉があります。私たち人間にとって、生きるために関心のあること、必要なものといったら、つまるところ「衣食住」の三つしかないと昔から言われ続けていて、その基本は今も変わることはないのだと思います。

また「衣食足りて礼節を知る」という諺をご存知の方も多いことでしょう。着るもの食べるものがちゃんと足りていること、日々の暮らしに困ることがなくなってはじめて、私たち人間は礼儀に心を向ける余裕が持てることを言った諺です。

このように言われるように、人間が生きていくために衣食住が必要なのは言うまでもありません。

水平線に沈む夕日が雲や海に映える様子を「綺麗だな」と感じる心。

隣の家から聞こえるピアノの演奏が「うつくしいな」と感じる心。

田園風景を見て、郷愁にふける…。

そのような感性が心のアクセサリーとなり、生きる力につながるのです。

その心のアクセサリーをつくるのが、幼児期なのです。

子育てをするということ、
それは毎日、褒めることと叱ることを繰り返すことかもしれません。
どちらが大切かといえば絶対に褒めることです。

22

褒められると嬉しくなり、叱られると悲しくなるのは、大人も子どもたちも同じです。ご家庭でのちょっとしたひとことの中でも、褒めると叱るが繰り返されているのではないでしょうか。

例えば、お母さんのつくった料理を「うん、これ美味しいね。味付けに工夫したのかな」とお父さんが褒めれば、お母さんは「そう、わかってくれた。ちょっと頑張ってつくったのよ」と、お母さんは笑顔になり、今度はもっと美味しい料理を食べてもらおうと思います。

子どもたちも、「あら、上手ねぇ」「ほぅ、うまいもんだな」「いつのまに、こんなにできるようになったんだ」と、褒められると嬉しくてどんどんやる気になりますし、実際に学びの効率もアップするようです。逆に、「なんだ、それじゃダメだろ」「もっと、上手にできないのかねぇ」などと否定的なことを言われると、気分が落ち込んでしまうのはもちろん、学ぶ意欲も失ってしまいます。

毎日のなかで繰り返される「褒めることと叱ること」「肯定的な言葉づかいと否定的な言葉づかい」。もちろん社会的ルールを破ったときは、ちゃんと「叱る」ことが大切です。「甘やかす」のと「褒める」のとは、少し似ているところもありますが、まったく別物ですから。

どの子にも訪れる感情の抑制ができない一時期。
抱きしめてあげると子どもの気持ちの落ち着きが肌を伝わってきて、
それと同じだけ大人のほうもまた気持ちが落ち着きます。

23

幼児期の脳は、まさに猛烈な勢いで成長するようです。なんでも覚えて、なんでも真似をして、その吸収力に驚かされることも少なくありません。もちろん、そんな子どもたちの目を見張るような成長は、お父さんお母さんにとっては、嬉しくて誇らしくさえ感じるものです。

でも、この脳の成長に心の成長がついていかないというか、感情の抑制ができなくてご両親や先生方を手こずらせる、そんな一時期も必ず訪れるものです。何をどうあやしても動こうとしない、ささいなことでも泣きだしてしまう、こんなわがままな子じゃなかったのにと、自分の子育てに自信を失いそうになるくらいです。

そんな時は、ただ抱きしめてあげるのが何よりです。子どもたち自身にしても、どうして自分がこんなに泣いているのかわがままになっているのか、その理由がわかっているわけではなくて、脳と心の成長のスピードの違いによって、いまは感情の抑制がちょっとできないだけなのですから。

抱きしめているうちに、肌の温もりが行き交っているうちに、少しずつ気持ちが落ち着いてきます。子どもの側の落ち着きを感じると、抱きしめている大人の側もごく自然に穏やかな気持ちになってくるものです。

母の慈悲の心

今から思うと、私の母は強かったと思います。私は兄妹が九人、祖母を含めて十二人家族で育ちました。姉たちも手伝いはしたと思いますが、朝早く起き竈に薪を入れ、火をおこし、ご飯を炊き、十二人分の食事を毎日、朝昼晩と作っていました。掃除もお寺ですから一般のご家庭の何倍もの広さがあり、お寺の坊守としての仕事、そして幼稚園の先生としても活躍していたのです。

母は末っ子の私をおんぶしながら、足踏みオルガンを弾き、保育をしていました。そして夜は婦人会長としてボランティア活動もし、もうそれは多忙な日々を過ごしていたようです。

その母が夜なべで私のズボンの破れやほころびを縫ってくれていたことを覚えています。九人のうち五人が男兄弟で私はその末っ子、その上、戦後、間もない頃ですから物資が乏しく、ズボンは四人の兄たちからのお下がりでもう擦り切れてボロボロです。それを夜なべで縫ってくれていました。

母の背中には苦労と疲れが溜まっているように見え、母を愛しく思い、「困らせたらいけないな」と子どもながらにも思ったものです。

母は暇さえあれば私を抱きしめ、歌を歌ってくれ、その後には「お前は良い子で、お前を置いてどこへも行きません。だってお前は私の宝物だから」と言ってくれました。その度に安心感とその愛情が実感していたと思います。

とは言うものの、私もわがままで、よくおねだりをして愚図りました。そんな時、母は私を抱きしめ、「家にはそんなわがままな子はいません。お父さん、鬼さんは帰って行ったわね」と言います。わがままを言うと怖いものが登場し、私をどこかへ連れて行き、良い子にしていると怖いものは出ないし、帰って行くと、だまし、だまし、語ってくれました。私はやはり怖いですから、泣き止もうと努力をしたことを覚えています。

母への深い感謝の気持は変わりません。母には慈悲の心があっただろうと思います。包み込む様な母の優しさが、今でも心の支えになっているように思います。

電車の中の出来事

昨年、東京出張の際、電車の中でこんなことがありました。年配の女性が電車に乗ってきたので私は席を譲ろうと、立ち上がり、「どうぞ」と手招きをしました。すると、その女性はプンプンな表情を見せるのです。後から考えるとその方は「私はあなたより若い！」と言いたかったのではと気付き、これは悪いことをしたなと思いました。

翌日、同じ時間に電車に乗ると、今度は妊婦さんが乗ってきました。大きなお腹で今にも生まれそうです。私は席を譲ろうと思ったのですが、昨日のことがあり、一瞬、ためらいました。すると隣の席の若いカップルがすっと立ち上がり、「どうぞ」と席を譲ったのです。妊婦さんは「ありがとうございます」と言って席に座りました。席を譲ったカップルはにこやかな表情で、心地よい温かな雰囲気があたりを包んでいました。私はその妊婦さんに「体を大切に。あなただけの体ではありません。お腹には宝物が入っていますから」と言うと女性は「はい」と明るく返してくれました。

人はみな、「誰かの役に立ちたい」と思っています。私の様な年寄りは人の世話にはなりますが、人のお世話ができなくなり、アドバイスしかできない侘しさを憂いています。

子育てをしている保護者の方はわが子のために、日夜、努力とお世話をされています。この年で思いますが、子育てをされている今、この時が人生で最も充実し、一番幸せな時期かと存じます。

園児の挑戦

冒険心

まだ、若く、体力がある時でしたから園児たちのその行為は見守ることができました。

それは年長組の六名前後の子どもたちが、ホール（遊戯室）の舞台の上に演台を置き、さらにその上に椅子を乗せ、そこから飛び降りようとしているのです。かなりの高さでその下にトランポリを置きそこへ飛び降りようとしているのです。それを見た私は一瞬、止めさせようと思ったのですが、日頃、子どもたちとプロレスごっこや相撲などで子どもの身体能力を把握していました。「この子たちなら大丈夫だ」と信念を持ってじっと見守ることにしました。

子どもたちは私に止められるのではないかとためらっていましたが、私が無いも言わないものですから、威を決して飛び降りはじめました。

それはどの様に表現すれば良いのか、ふわーと椅子から飛び降り、トランポリンで弾かれ、今度は飛び上がるのです。

その、ふわーとする瞬間は空中に浮いているのですから、このスリルと快感は今までの遊びと比べ物にならないくらいだと思います。子どもたちは興奮ぎみで喜びを隠しきれません。

その様子を見ていた年少組の子どもが階段を登り、その積み上げられた椅子の方に向かうのです。この子が飛び降りるのは無理があり骨折でもしたらと思い、手を差し出すとその子は自分からその階段を下り始めました。たぶん、その年少組の子は自分で危険を感じ取って降りて来たのです。危機回避能力がその子には備わっていたのですね。

その後、年長組は何度か飛んでお帰りの時間になりました。その時の子どもたちの表情は充実感に溢れていました。

子どもたちが片付けをしているそばへ行き、約束をしました。「この遊びは危険だから先生に言ってからにしなさい」と言うと子どもたちは「うん、わかった」と言ってくれました。

挑戦と工夫

ある日、幼稚園の二階のバルコニーから年長組の子どもたち六人が紙飛行機を飛ばしていました。二階から紙飛行機を飛ばすのですから遠く、長く飛びます。それが楽しくて何度も飛ばしています。しばらくすると紙が無くなり六人の子どもの内、三人が下に降りて来て、落ちている紙飛行機を上の二階に向けて投げる様に飛ばすのですが思うように飛びません。その内、三人は紙飛行機を丸めて投げるのですが、これも軽くて途中で落ちてきます。私はその紙を持ち、二階のに行けば良いのにと思っていました。

その後、二階の三人がカラーベルトをいくつかつなぎ合わせ、バルコニーから下ろしはじめました。どうするのかな?と見ていると、長くつないだカラーベルトの先端を丸め、その中に紙飛行機を入れたのです。私は子どもたちの工夫する知恵の素晴らしさに感動しました。紙飛行機は丸められているので二度と飛行機にして飛ばせないのですが、下から丸めた紙を引き上げるのが面白いようで遊びはそちらの方に変化していきました。

自分たちで工夫し、体験して学ぶことは充実した喜びを味わえる様に思います。

つい私たち大人は「止めなさい」と言いますが、少し子どもたちの行動を見つめ、見守るといろいろな行動の面白さが見えてくるように思います。また、そのようなところから個性が生まれるのではとも思います。

もちろん危険な遊びや他人に迷惑をかけるなどの時は止めなければいけませんが、「ここまでは挑戦させても良い」「ここまでは体験させても良い」といったところが見えてくるのです。そのような体験を経た子どもは何事にも積極的になり、自主性が身に付いて来るように思います。

鉄、良心

硬い鉄は熱すると「ふにゃふにゃ」になります

「鉄は熱いうちに叩け」という諺がありますが、その硬い鉄も熱すると「ふにゃふにゃ、ぽちゃぽちゃ」になり、叩くことで、刀にもなり、包丁にも、ナイフにもなり、しかも名刀にもなれば愚刀にもなります。

幼児の脳も体もふにゃふにゃ、ぽちゃぽちゃなのです。この時期に、より良い教育的環境を設えることが大切です。

例えば名文古文、当園では俳句や諺、四字熟語など読み聞かせています。もちろん、各ご家庭でも、絵本の読み聞かせなどされていることと思います。それが教育的環境を設えることになるのです。

良心の呵責、自責の念は地域社会の治安を守ります

悪いことをしたり、言ったりすると心の底から「どろどろ」とした嫌な気持になりますね。

「あのようなことをしなければ…。あんなことを言わなければ良かった」と思う心が良心の呵責または自責の念です。つまり自分で自分を責め、悩んでいる訳ですが、このことは地域社会の治安を守ることにつながります。警察、お巡りさん、防犯協会、安全協会、消防署、消防団、各種ボランティアの方々が日々、治安維持に努力されています。本当に頭がさがります。

しかし、これだけで治安の維持は難しく、良心の呵責、自責の念が必要になっていると思います。この良心の呵責、自責の念は人間の本能ではなく、学ぶものです。

「そんなことをしたら、地獄に落ちるぞ。そんな悪いことをしたら鬼が捕まえに来るぞ」など言いますね。地獄は暗くて苦しくて、どろどろとした怖いところだと伝えます。悪戯に恐怖心を煽るのではありませんが、あまりにもわがままだったり、言うことを聞かなかったりした時は一つの方法だと思います。

フォローも必要です。「家にはわがままな子、悪い子はいません、鬼は帰ったよ」と言ってください。

中学生や高校生に「そんなことをしたら、地獄に落ちるぞ。そんな悪いことをしたら鬼が捕まえに来るぞ」と言っても「ふん」とあしらわれてしまいます。

幼児期にこの良心の呵責、自責の念を伝え、養うことがとても大切だと考えます。

上がった、上がった

感謝と尊重

　その年の正月は北陸地方では珍しく暖冬で本当に天気の良い日が続きました。二歳児クラスの先生が画用紙で凧を作り、運動場で飛ばしました。一所懸命走るのですが小さい子どもたちです。凧はそんなにも上がりません。私が「飛んだかな?」と聞くと青空を指差し、「飛んだ、飛んだ!」と指し示すのです。「そうか空まで飛んだか」と答えるとその子はニコニコと嬉しそうでした。私は一瞬、「そんなに高く飛んでないよ」と言おうとしたのです。その高さは私の頭ぐらいの高さだったからです。飛んで見えたのは子どもの目の高さが低いからです。私たち大人から見ると、そんなに高い位置ではありませんが、子どもたちから見れば高く上がっている様に感じるのでしょう。

　このように子どもと大人は同じところにいるのですが、全く違った世界にいるのです。そのことを踏まえ、その子の立場に立ってみることが大切だと思います。

　以前、放牧場へ社会見学、自然観察を兼ねて行きました。行く前に「今日は放牧場に行くよ」と言って黒板に「放牧場」と漢字で書きました。園に帰って、「放牧場へ行ってきたね」「楽しかったか?」と聞くと「楽しかった」と答えてくれました。その中で、一人の子が「先生、放牧場に牛がいるから牛が書いてあるの?」と聞くのです。私はこの時、正直この子は何を言っているのかわからなかったのです。よく見ると放牧場の牧の字は手偏でなく牛偏なのだと気づき、その子に「よく気が付いたね、そうあれは牛だよ!」と褒めました。そうすると、「空に穴がある」「学校にお父さんがいる」「海にお母さんがある」「豚に月がある」など、次から次へと子どもたちが言ってくるのです。

　すごいと思いました。このことを子どもたちが自分たちで気が付いたのです。私はこの様なことを子どもたちに教えた覚えはありません。一人の子が放牧場の牛のことを言ってきたから取り上げ、それがきっかけで、次から次ぎへと出てきたのです。

　これを機に子どもたちの行動が活発になり、先生の話や黒板を見る目は輝き、意欲満点でのびのびと、園生活を謳歌しているように感じました。

　漢字を通して知ることの喜びと楽しさを味わっている子どもたちでした。

「何をしてるの？」

どうすれば高くなる？

「もっと高く」

もっと、もっと

結末はご想像にお任せします。

B

第二章

子どもとは

24

「便所行くの、怖い」

夜、便所に行くのを怖がる時があります。

そんなに遠い所ではないのに、廊下は明るいのに。

なぜ、便所に行くのが怖いのか？

「すぐそこに便所があるのに」「もうすぐ、この子は小学生なのに」と思います。不思議で面倒だなと思いますね。

私たちの子どもの頃、便所は外にあり、暗く、履物を履き替え、しかも、今の様に水洗便所ではなく、板ばりで汚物が隙間から見え、落ちたらどうしようと思うくらい怖いところでした。現代の便所は家の中にあるのになぜ、、怖がるのでしょうか？考えてみると夜は暗く不気味です。その上便所は一人ぼっちです。それで怖いのだと思います。時期が来れば怖がらずに行くようになりますから、心配はいりません。しばらくの間、付き添ってあげてください。

幼児は怖い話や怖い物を見たいと興味を示すことがあります。なぜでしょう？あれだけ便所に行くのを怖がるのにと思うのですが、なぜか怖い物に興味を示すのです。

これは不思議なもの、目に見えない夢の世界に憧れがあるのかも知れません。また。「怖い物見たさ」と言う言葉があるように、何にでも興味を示す時期なのだと思います。

25

私たち大人は、家でも園でも、
子どもと「同じ空間」にいると思いこんでいます。
でも、子どもたちは「別の世界」に住んでいるのです。

各ご家庭での子どもたちも、園での子どもたちも、私たち大人と一緒にいる時、それは同じ部屋、同じ空間で暮らしているのだと誰もが疑うことなく思いこんでいるのではないでしょうか。

同じ場所にいることは確かですが、子どもたちには見えているのに大人には見えなかったり、子どもたちにはちゃんと聞こえているのに大人には聞こえていなかったり、そんなことがいっぱいあります。

例えば、ふくらませた風船を手から放し、びゅんと飛ばしてよく遊びますが、不規則な動きに大人たちの目は追いつかないのに、すぐに見つける子どもたちの動体視力の凄さに驚かされます。また、私が歌う英語の歌を子どもたちに聞かせると、「その歌、なんか違う」と言います。「じゃぁ、歌って！」と返すと、得意になって歌い出します。

当園には、ネイティブの英語の先生もいますので、その先生に私の歌と子どもの歌を聞き比べてもらうと、「チルドレン、パーフェクト！」との答えが返ってきます。そう、視覚も聴覚も、五感すべてが子どもと大人とは違うようで、ある意味「別の世界」あるいは「可能性を秘めた未知の世界」に住んでいるのが子どもたちなのです。

私たち親は、
なにも子どもたちから返してもらおうと思っていません。
ただ幸せに暮らしてくれればそれだけでいいのです。

26

世の中の親たちは、わが子が可愛くてたまらなくて、それはもう心から愛していることでしょう。でも、そのことを子どもたちにちゃんと伝えているお母さん、毎日の生活のなかで何度も言葉にしているお父さんは、そんなに多くないような気がします。

ちゃんと愛していると言ってもらわないと不安で落ち着かないのは、恋愛中の恋人たちにとっても、親と接する子どもたちにとっても同じです。子どもを抱きしめながら、「私の大事な宝もの」「いつもいっしょ」「だ〜い好き」と耳元でささやいてあげてください。

子どもは親に愛されていることを実感できて満足そうな笑顔になり、情緒の安定した素直な子に育ちます。そして、そんな嬉しそうな笑顔があれば、それだけで幸せなのが親たちです。子どもたちから何かを返してもらおうと思って子育てしているわけではありません。

これからも元気に育ってくれて、ただ幸せに暮らしてくれればそれだけでいいのです。でも、「ママ、たんじょうび、おめでとう」と手づくりのプレゼントをくれたり、「パパ、おしごと、おつかれさま」とやさしい言葉をかけてくれたりするのは、それはもう大歓迎なのが親というものですよね。

27

愛情いっぱいであればあるほど、
わが子は自分の大切な分身だと思いがちです。
でも別の人格をもった別の人間なんだと心してください。

入園をひかえたわが子のことを考えたら、もちろん入園するまでに成長した嬉しさもありますが、それ以上に不安もふくらみがちです。うちの子はちゃんと園へ通ってくれるだろうか。先生や新しいお友だちとなじんでくれるだろうか。体調をくずしてしまったりしないだろうか。

心配しだしたら切りがありませんが、お母さんお父さんが思うほど子どもたちは弱くありません。意外と順応性があって、新たな環境にもすぐになれてくれますので、そんなに心配しないでお子さんを信じてあげてください。

とは言っても、最初のころは園に送り届けたあと、後ろ髪をひかれる思いを経験することでしょう。特にお母さんの気持ちとしては、自分の体の中から生まれてきた子ですから、自分の分身だと思い自分の不安をそのまま子どもにも映し見てしまいがちで、それも無理はありません。

でも、その子はお母さんとは別の人格をもった、別の人間なんだと自分に言い聞かせるようにしてください。もちろん別の人間だから冷たく突き放せというのでなく、子どもへの慈悲の心、慈しみの気持ちをもって、温かく包み込むように抱きしめてほしいのです。子育ての本当の楽しさは、子どもが別の人間だと覚悟し、その子の人格を尊重するところから新たに始まるのですから。

人間は一人では生きていけません。
誰の世話にもならず生きていくんだと粋がっても無理です。
そんな当たり前を子どもたちは本能的に知っています。

28

私自身の子どものころを思い出しますと、けっして良い子でも賢い子でもありませんでした。たぶん周りで私のことを気にかけ目にとめていた人など、母の他には一人もいなかったのではないかと思います。あれは何歳の頃だったのでしょう、「歯が痛い痛い」と泣き続ける私の頬を、夜通し寝ないで撫でてくれた、遠い昔の母の温もりを今でも思い出すことができます。

私自身がそうだったように、どの子どもたちも自信満々で生きているなどということはありません。特に幼少期であればあるほど自分が一人では生きていけないことを本能的に知っているのではないでしょうか。

お互いに子どもを連れたお母さんが長話しを始めてしまって、その周りで子どもたちはといえば、つまらなさそうにしている。そんなシーンをよく見かけます。もちろんお母さん方の情報交換は大切なのですが、そんな立ち話の時でも子どもの存在はぜったいに忘れないでください。

ちゃんと手をつないでいてくれる。話の途中でも寂しそうな顔をしていないか確認してくれる。そんなささやかな事なのですが、お母さんの心遣いは子どもたちに愛情としてしっかり伝わります。自分一人ではどうしようもないことを本能的に感じている、幼少期にこそしっかり愛情をそそぎたいものです。

子どもはあなたの子であるのはもちろんですが、
それと同時に社会の宝物でもあります。
そう、世界に一人だけの世界の宝物なのです。

29

子どもって可愛いですよね。可愛い子どもを前にしたご両親に、「子育って何なのですか」と聞くと、どこか不思議そうな顔で「子育ては、子育てだとしか言えないような」と答えが返ってくるのが普通です。

私が考える子育てとは、人生の中での最大のボランティア、最大の奉仕活動なのではないかと思っています。そんな風に思って子育てをしている方は少ないと思いますし、子育ては子育てなんだと深く考えることもないのが普通でしょう。でも、子育てというのはある意味では、ボランティアや奉仕活動に似ているのではないでしょうか。

そう、子どもたちのために大変な毎日を過ごしながらも、その子から何かを返してもらおうとか、なにか金品を得ようなどとは思っていません。どこまでも無償の行いが子育てなのです。そして、その子はもちろんあなたの子どもなのですが、社会の宝物であり、世界にとっても大切な宝物なのです。

子育てとは社会の宝物に奉仕することであり、世界の宝物に対して役立つことをしているというのは何よりの幸せです。子育てをしてあげているのではなく、させてもらっているという奉仕の精神が身に付いてしまえば、きっと子育てが楽しくなります。子は授かりもので、それだけでも幸せ者なのですから。

幼児期の脳の各分野は急激に発達します。
でも、その中の「感情」をつかさどる分野に関しては、
発達が遅れがちで戸惑うこともあるでしょう。

30

言葉を覚え、お絵かきや歌う事が上手になり、子どもの成長の早さには驚かされると同時に、親としての幸せを感じさせてくれます。でも、成長しているはずなのに、甘えん坊だったり、わがままばかり言ったり、自分の思いが通るまで暴れ泣きじゃくったりが、いつまでも治らなくて心配になることもあります。

いわゆる知性を司る脳の部分と、感情を担当する脳の部分とでは、その成長に差があるようなのです。いつまでも感情をコントロールできないわが子を目の前にすると、この子は病気なんじゃないかと気になり、他の子と比べては不安を募らせてばかりいても何の答えも出てきません。

そんな頑固なわがままには、どんなふうに接すれば良いのでしょう。わかったわかったと受け入れる方法と、きつく叱りつけて絶対に受け入れない方法と、もうひとつ、だましだましと言いますか、地獄や鬼さんといった恐怖イメージを上手に使うのもあるのではないかと思います。

もちろん宗教観という大げさなものではありません。悪いことをしたら地獄に落ちる、わがままばかり言っていると鬼さんに追いかけられる、そんな恐怖心から逃れようとして子どもたちなりに、良心の呵責や自責の念といった心を成長させ、やがて感情をコントロールできるようになるのではないでしょうか。

子どもの成長が感じられない時期があります。
でもそれは子どもたちが自分の成長を表現するまでに、
ちょっと時間がかかっているだけのことです。

31

ハイハイを始めたら早く立ってほしいと思い、立つようになったら早く歩いてほしいと願う。親にとって成長が目に見えるのは何よりの喜びです。でも、潜伏期間というのでしょうか、成長が感じられなくてちょっと不安になる時期も訪れます。

なかでも喋りはじめる時期に対して気をもむことが多いのではないでしょうか。もちろん個人差があるものですから、そんなに心配することでないと思いますし、子どもにとって自分を表現するようになるまでは、どうしてもちょっと時間がかかってしまうものです。

人間は言葉で考え、言葉で行動し、言葉で感じ、言葉で想像する動物ですから、子どもは生まれてすぐに、いやお母さんのお腹の中にいるころからかもしれませんが、それはもう全身で言葉を吸収し続けています。ですから、声に出して語りかけることの大切さは言うまでもありません。語りかけた言葉の量に比例して、子どもの言葉の感性は豊かになることでしょう。

それぞれの子どもたちにとって、思いのままに表現力を発揮するようになるまでの、この潜伏期間は、植物を見守りながら繰り返し肥料を施すのに似ています。肥料を施したことを忘れた頃に、植物はニョキニョキと見事に成長してくれます。

32

小さな虫とビーズ玉。
宝物を褒められると嬉しくて、認められると楽しいのは、
大人も子どもたちも同じです。

「虫、虫、虫」と叫びながら勢いよく走り寄ってきた子どもが、指にはさんだ虫を私の目の前に突き出してきました。私たち大人は、そんな小さく名前も知らないような虫を見せられても、「虫なんか捨てて、ちゃんと手を洗ってらっしゃい」などと、つい言ってしまいがちです。

でもそんな時、私は老眼鏡と虫眼鏡を使って、「よくこんな小さな虫を見つけられたね、すごいな」とその子どもを認める言葉のあと、「一寸の虫にも五分の魂と言う言葉を知ってるかな。虫にも心があるし、精一杯生きてるんだよ」と話しかけます。そして「このままだと死んじゃうから、ちゃんと返しておいで」というと、「はい」と元気な声と一緒に虫を元の場所に返しに行きます。

小さな虫を見つけて褒められたことが嬉しかったのでしょう。どこで見つけたのか、今度は小さなビーズ玉をつまんだまま走ってきて、「部屋のすみっこで見つけたんだ。ね、キレイでしょ」と見せてくれました。「キラキラだね。こんなちっちゃいのによく見つけたね」と褒め言葉を口にします。

そう、小さな虫も小さなビーズ玉も、見つけた時の子どもにとっては何よりもの宝物なのです。何が宝物なのかは人それぞれですが、自分の宝物を褒められると嬉しいし、認められると楽しいのは、大人も同じですよね。

例えば、夏という季節。
大人たちにとっては数十回目の夏ということでしょうが、
子どもたちにはほんの数回目、経験が少ないのです。

33

夏のある日、子どもたちが「蝉、蝉、蝉」と大きな声を出しながら、飛んで持ってきて見せてくれたのは、蝉の抜け殻でした。これは土から出てきた蝉が脱いでいった抜け殻なんだよと教えると、一瞬どこか不思議な顔になりますが、そんなことはどうでもいいのか、すぐに嬉しそうな表情にもどります。

蝉はどんなふうに鳴くのかなと聞くと、「みーん、みーん」「じぃ、じぃ」「つくつくぼうし、つくつくぼうし」と次から次に答えが返ってきて賑やかです。大人にとっては蝉の鳴き声など誰もが知っていることですが、でも蝉の鳴き声を知っていることが子どもたちにとっては一大事なのです。

そう、その子どもたちにとっては、夏という季節を迎えたのがこれまで生きてきた中で、まだわずか四回か五回目なのですから。人生経験が大人とは比べものにならないくらい少ないのです。この当たり前のことを忘れがちなことも少なくありません。

蝉の抜け殻のことも、蝉の鳴き声のことも、大人の常識を持ちだして子どもたちと接するのではなく、「蝉のへーンシン！」と言いながら変身ポーズをしたり、「麦わらボーシ！」と言いながら帽子をかぶってみたり、自分自身も夏の経験がまだ少ない子どもと同じ目線で相手をすると子どもたちの目も輝きます。

新しいことは新鮮で気持ちがいいのですが、
気疲れしたり、体がだるくなることもありがちです。
新年や新学期の子どもたちも同じです。

34

【春眠、暁を覚えず】。春先はなんだか疲れが残りがちで、つい朝寝坊してしまうこともあります。春の訪れを感じる暖かい日があるかと思えば、寒の戻りで急に寒くなったりして、寒暖差の激しい季節の変わり目は、体への負担が大きいでしょうし、花粉が飛び交うことで憂鬱さを増す人も少なくありません。

またこの季節は、卒園生がいて新入園生がいて、卒業生がいて新入学生がいて、社会には様々な新人や新入社員たちがあふれる時期です。それぞれに緊張感を感じることが多くなるでしょうし、新学期を迎えてクラス替えがあったりするのもストレスの原因になるのではないでしょうか。

そう、新しい季節、新しい環境は、新鮮で気持ちがいいのですが、知らないあいだに疲れがたまり、体のだるさを感じたりしがちです。大人にとっても緊張を強いられる季節なのですから、表面的には元気に見えても子どもたちなりに新しい環境になじもうとして、いつもより頑張っているものです。

春先はもちろんそれぞれの季節の変わり目には、そんな子どもたちの体の変調を見逃さないようにしたいものです。そして無理することなく休ませてください。一緒にいて絵本を読んであげたり歌を口ずさんだり、そんな温もりに包まれての安心した眠りが子どもたちにとっては何よりです。

自分のことをわかってくれる人に、
たった一人でも良いので出会えたとしたら、
その子の人生の支えになります。

35

子どもたちは誰もが、一人ひとり必ず何かその子だけの良さを持って、この世に生まれてくるのだといいます。その子ならではの良さというのは、他の子と比べてばかりいてもなかなか見つけられません。もちろん学校の成績などという基準で測れるものではありません。

こんな話を聞いたことがあります。単純で簡単なものですが、五人の子どもたちがある作業をみんなでやることになりました。そのうちの四人はらくらくとその作業をこなしていくのですが、一人だけどうしてもうまくできません。そこでその一人を作業から外したのですが、なぜか四人でやるようになった作業がうまくこなせないようになったというのです。

うまくできなかった一人の子をもとに戻し、また五人そろって作業をするようになると、また元のように四人の作業もすいすい進むようになったといいます。そう、作業ができなかった一人の子もちゃんと役割を果たしていたのです。その場の雰囲気をやわらげ、みんなを楽しくさせていたのか、その子ならではの能力は誰にも真似のできない素敵なものに違いありません。

子どもたち一人ひとりのことをわかってあげて、素敵さをちゃんと認めてあげられる。私たち一人ひとりもそんな大人でありたいものです。

誰かに認めてもらい、受け入れてもらいたいのに、
無視されると、とても寂しくて、泣きたいほど孤独になります。
そんな思いを、子どもは大人以上に感じるものです。

36

ある日、砂場遊びが大好きな子どもたちを何気に眺めていた時のことです。ひとりの子が走ってきて、これ見て見てと嬉しそうに差し出したのは、プリンの容器に砂を入れて何かの草を植えたものでした。「植木鉢に草を植えたんだね」というと、うんと嬉しそうに答えながらも、「うえきばち」とつぶやきます。その子は、その時、初めて「植木鉢」という言葉を知ったようでした。

その他にも、子どもたちはいろんなものを見せにきてくれます。お皿に小さな団子を乗せて持ってきた子には、これは「美味しそうなたこ焼きだな」というと、とても嬉しそうな顔になってみんなのところに戻っていきました。

私のところに見せに来る子は、私のところに何を持っていっても無視されることがなく、ちゃんと作ったものを認めてくれることを、子どもなりに知っているのだと思います。

そう、子どもたちは自分のことというか、自分がしていること、自分が作ったものを、誰かに認めてもらいたいといつも思っているのです。それらが受け入れられず、面白くなさそうに無視されると、それは寂しくて落ち込んでしまいます。他人に無視されると孤独感や無力感に陥るのは大人も同じですが、子どもたちの気持ちの浮き沈みには大人以上に敏感でいたいものです。

「大人の心はガラス板。子どもの心はゴム板」。
ガラスは割れると修復にとても時間がかかりますが
ゴムの板は柔らかく、すぐに元に戻ります。

37

大人はケンカをすると心に深く傷つき、回復するのに時間がかかります。それはガラスの板のようで、いつまでも気になりますが、子どもは意外と早くゴム板のように回復します。

「あなたと絶交や。もう、遊ばない」と言ってケンカをしていたのに、十分もしない内に「遊ぼう」と誘っています。

これは不思議に思うのですが、、ケンカをする子ども同士ほど、一緒によく遊びます。それは興味を感じることが同じで、能力もだいたい同じ、お互いライバルなのかも知れません。ライバルと遊ぶのが楽しいのです。その証拠に年長組の子どもと年少組の子どもとは一緒に遊ぶことはあまりありません。

ケンカばかりしていてはいけませんが、ケンカできる友だちがいることはその子どもにとって素晴らしいことなのであり、その友だちが多いほど、幸せなことなのです。

当園では、先生はケンカを見れば止めますが、少し子どもたちの様子を見守り、自分たちだけで解決させることも大切にしています。このことが将来、人との関わりが上手にできるようになる一面を持つと考えているからです。

子どもが恥じらいを感じるようになる、
それは幼児期が過ぎ少しずつ大人に近づいている証拠です。
笑顔で見守り大いに喜びましょう。

38

子どもたちが大人への曲がり角を迎える頃でしょうか、お父さんお母さんと一緒にお風呂に入るのを嫌がるようになります。そんないわゆる思春期を迎えるもっともっと以前、園児の頃にもちょっと人見知りするようになったり、異性に意地悪をするようになったりすることがあります。

無邪気な幼児期という言い方をよくしますが、そのころの子どもたちは感性のままにすべてを吸収して、それはもう脳細胞がフル活動していることでしょう。それも子どもたちにすれば、無努力、無負担、無意識のうちに、毎日すごい吸収力を発揮しているのです。

こんな言葉どこで覚えたのかしらん、こんな遊び方を教えたことなんかないはずなのにと驚かされる時、それらはまさに子どもたちが自分自身も知らない間に吸収したものに他なりません。幼児期ならではの鋭い五感を、総動員して様々なものを吸収する。この吸収することは成長することと同義です。

幼児期から思春期へ。子どもたちが恥じらいを見せるようになり、今までは何でも話してくれていたのに口数が少なくなるのは、まさに少しずつ大人に近づいている証拠です。すぐにばれるような隠し事をするのも成長の証。そんな隠し事はお見通しだと、やさしい笑顔で見守るとしましょう。

こらむ

じいちゃん

「爺ちゃん」と園児が私を呼びました。その場にいた先生は気を遣って「理事長先生と言いなさい」と言ってくれましたが、私は「爺ちゃんでも理事長でもいいですよ」と言うと、その子はにこにこ笑顔です。

「〇〇ちゃん何ですか」と聞くと「理事長先生、家の爺ちゃんと同じ匂いがする」。

「〇〇ちゃん良い鼻をしているね、もしかしてお爺ちゃんの匂いも、お婆ちゃんの匂いも、お母さんの匂いも、お父さんの匂いもわかるのか?」と聞くと「うん」と答えました。

「〇〇ちゃんの鼻、よい鼻だね。今度は、花の匂いも嗅いでみよう。花はいい匂いかもしれないぞ」と手のひらを広げて花の様に見せると、笑顔で「ママと一緒に」と言ってくれました。ちょっとした会話ですが、その子は満足そうな顔をしていました。

実は爺ちゃんと言われて少しショックだったのです。その時、私はスーツ姿でネクタイをしていたのです。でも、七十五歳の私です。幼児から見ればそれは当然、爺ちゃんに間違いありません。親しみを持って、呼んでくれているのだと考えるようにしています。

近年は寄る年波に勝てず体力の衰え、能力の衰えが激しく、その衰えは幼児の気持ちと合致するように思います。

幼児は物凄い勢いで体力も能力も成長しますが、大人から見れば、まだまだです。幼児の体力、能力がお年寄りに近いように感じられます。

人は心の中に誰もが暗愁、寂しさ辛さ悲しさなど、暗い部分を抱えています。まして幼子です。その心を受け入れ、共に涙すると、自分のことをわかってくれているのだと感じ、元気づくことが多くあります。

「そんなことで泣かないで、気持を切り替えて前向きに頑張れ」と言われてもそう簡単に切り替えられるものではありません。その子の気持ちを汲み入れ、受け入れることが大切だと思います。

大人は自分の趣味や嗜好などで気分を切り替えることができますが、幼児はその様な能力はまだ持ち合わせていません。受け入れてあげたり、同情したりすることによって、今の気持ちをわかってくれる人がいるという心強さを感じるのです。そしてそこに深い愛情を実感し、生きていくための自信に繋がっていきます。

もちろん、世の中は甘くはありません。むしろ厳しさの方が多いわけですから、たった一人でも、自分の気持を理解し、愛してくれている人がいるという実感がその後の人生の糧になると思います。

高齢になると仕事や身の回りのことを若い人たちが気遣ってくれます。それはとてもありがたいことなのですが、何か物足りなく、自分は何のために生きているのかと悩む時がありますが、少しでも幼子たちの役に立つこともあるのかな?と思い、できるだけ子どもたちと関わることを多くしようと思う、今日この頃です。

孫の世話に思う

学校から帰った孫が制服から私服に着替えています。「バンザイしなさい、爺ちゃん、袖を引っ張るから」と言うと孫はバンザイをしたので、引っ張ると袖が抜けました。

「さぁ、着るぞ」と言って着替えのシャツを持ち「頭が先か?腕から先に入れるのか?」と聞くと「頭から」と言うのでTシャツの襟の部分を広げるとするっと頭が入りました。婆ちゃんが横で「爺ちゃん、その子自分でできます」というのです。私も自分でできると思うのですが、いつもこの孫を構うことができる訳ではないし、高齢のためいつまで構うことができるか…と思い、つい構いたくなります。

私はこの子の自主性を奪ったのかもしれません。しかし遊び感覚で関わり、「お前をいつも見守っているよ」と思わせかったのです。人は本来、寂しがりやで悲しくて辛くて孤独な気持になりがちです。そんな時、心のどこか、頭の隅っこでも自分を可愛がってくれた人がいたと思わせることがその子の情緒を安定させると思うのです。

世の中は全て自分の力で仕事をし、食事をし、生活していると思いがちですが、その食事の材料もいろいろな人が関わり大きな計らいがあります。全てが大きな、大きな力を頂きながら生きているのです。その力に感謝し、その力に見守られていると思うことにより、寂しさ、悲しさなどを癒してくれるのではと思います。

子どもの成長は早いのですが、大人からすればまだまだ未発達な部分があります。その部分と私のような高齢者の能力低下が丁度合い、幼児の気持ちがわかり、抱きしめ甘くなるのではと思うのです。

お母さんにして見れば、「また甘やかして」となるかもしれませんが、子どもにとっては逃れるところがあっても良いのではと思います。

言葉と文字

フランスの言語学者、ポール・ショシャールは「五歳までに充分な言語教育を受けなければ、脳の機能を失う」と書いています。インドの森で狼に育てられた、狼少女カマラは三歳で亡くなるまでに四十五語の言葉しか話せなかったことを思うと、ポールの学説は正しいと思います。

逆に、お父さんが英語、お母さんがドイツ語、お爺さんが中国語、お婆さんが日本語、叔父さんがフランス語で赤ちゃんに話しかけたら、それぞれの言葉を使いわけることができるそうです。中東のバザールで二十カ国語を使いわける子がいるそうです。中東のバザールは様々な国、人種の人が集まり買い物に来るところで、おそらくその子どもは店番の人におんぶをされていたのではないのでしょうか。

つまり、幼児期は言語を無努力、無負担、無意識に簡単に習得できる時期です。人は言葉で思考しますから、人間性を豊かにもします。ちなみに幼児期における言語の発達と知能は正比例します。それだけ幼児期における言葉の教育は大切なのです。　赤ちゃんは何を言われても反応を示さないかも知れません。それでも何度も繰り返し語りかけたり、歌って上げたりすることが大切です。表現はできないかもしれませんが、吸収はしているのです。

「笑った、可愛い、可愛い」と言いながら頬ずりし、子守歌など歌って聞かせると喜びますし安心して眠ります。言葉かけは言語教育と共に情緒の安定を育みます。

文字はその言葉を表したものです。それは時間を越えて、多くの人にそして遠くの人にも伝えることができる人間の持つ、素晴らしい情報であり、人間性を深めるためのものと思います。

その文字教育は今までは幼児には難しいとされてきました。それは大人が簡単だから幼児も簡単だろうと音を表す文字「ひらがな」から教え始めたからです。

「いぬがねこをうんだ」何かわかりますか?「犬が猫を産んだ」ではありません。「犬がね子を産んだ」です。つまり漢字を入れると瞬時に読むことができ、意味もわかると思います。「うさぎ」と「兎」ではどちらが、読みやすいですか?「うさぎとかめ」と「兎と亀」はいかがですか?断然後者の方が読みやすくしかも漢字はその動物を想像したり感じたりできます。「兎は目が赤くぴょんぴょんと飛び跳ね、亀は硬い甲羅に覆われ、のっしのっしと歩く」と瞬時に読むことも想像することも感じることもできるのです。ちなみに「蜂」の漢字を見て幼児は瞬時に「痛い」と感じるのです。

幼児は人生経験が少ないのでどの漢字も覚えるのではなく、幼児の関心のあるもの、知っている物に限られます。例えば体の部分から、手、足、目、口、耳、鼻、など…。次に身近な動物、犬、猫、牛、馬…。家庭にあるもの、時計、新聞、机など。

幼児の身近にあるものを、カードに一日に一枚ずつ読み聞かし、一週間で七枚になったところで、最初の一枚を取り、新たなカードを加えます。その様に一日に一枚漢字カードを読み進めますと一年で三六五文字、三年では一〇九五文字を読むことができ、言葉も身に付けることができます。ちなみに小学校の六年間で学ぶ漢字は一〇二六字です。例えば三歳の時から家庭でこのように続けると年長組の時には小学校で習うよりも多くの言葉を身に付けることになるのです。

理性人間と感性人間

別のコラムで「幼児は人の匂いを嗅ぎわける」と書きました。そのことを当園の先生方に言うと「園児は洗濯したシャツの匂いを嗅いで、これ誰々のシャツや」と嗅ぎわけるというのです。幼児の感覚はとても鋭く、目は大人が見えないものも見え、聞こえないものも聞こえ、匂わないものも嗅げ、肌で感じないものも感じ、その上それが立体的、多方面に捕えることができるのです。

「理性は物事を論理的に考え、正しく判断する能力で、感性は外からの刺激を心に感じる能力」と辞書には記載してあります。人間を簡単にわける訳にはいきませんが、おおよそ、その様なタイプ、傾向があるように思います。仕事柄かも知れませんが、芸術家には感性人間が多く、官庁やオフィス関係の人は理性人間が多くいるように思います。もちろん、ほとんどの方が両方備わっていると思いますが、事業主には意外と流行や時代の変遷を敏感に感じて事業を展開する感性人間が多いのではと思います。

「智に働けば角が立ち、情に棹させば流される。無理を通せば窮屈だ。兎角この世は住みにくい」と夏目漱石は小説『草枕』の冒頭で書いています。人間は衣食住が満たされれば生きていけますが、それでも自殺者が交通事故死者数よりも多く、毎年、3万人以上、また、家に閉じこもる人も多く、住みにくいと思っている人が多くいるのだと思います。

その住みにくいところから、詩や絵や歌や彫刻が生まれると言っています。

詩や絵や歌や彫刻はどちらかと言えば感覚によるところが多く、夕日の美しさや車窓から眺める景色に愁いを感じ、物思いにふけるのも理性ではなく感性の部分ではと思うのです。それらの多くを吸収するのは幼児期であり当園の特色である漢字教育も音感教育も宗教教育も英語教育も感性の部分を多く占めていると思います。その意味では幼児教育は重要であり、進めていくことが大切であると考えています。

マジシャンとコメディアン

手品師は「何をしてくれるのかな?何を出すのかな?」と期待を持たせ、しかも、少し焦らしながら、ユーモアを交えて観客を引きつけます。ベテランになればなるほど、また、上手な手品師であればあるほど、お喋りが多くそれほど多くの技を出すわけではないのに、引きつけられ、見入いってしまいます

そうなのです。この手品師や道化師のやり方を真似れば良いのだと思ったのです。というのは園児の前に立ち「静かに」と言ったり「行儀良くして」と言っても静かにならないし、行儀も良くならないのです。これは子どもたちが悪いのではなく、私のやり方が悪いのか下手なのだと気付きました。

「先生、ポケットに何か持っているのだけど見てみたい?」と聞くと子どもたちは「見たい、見たい」と言います。「少しだけよ」とちょっとだけ見せます。ここが焦らしです。私の方へ注目してもらうために興味を持ってもらうために…。もう、「静かにしなさい」とも「行儀良くしなさい」と言わなくても、子どもたちの目は輝きこちらに注目してくれています。

「では見せるよ」とポケットから握った手を取り出し、パッと開きます。開いた手からはスポンジ製の大きな兎が飛び出しました。兎を見て子どもたちはビックリ。「まだポケットにあるのだけど見たい?」と聞くと「見たい、見たい」と言います。「止めようかな」と言うと、「見たい、見たい」と言います。「明日にしようかな、明日に続くにしようかな」と言いながら黒板に「つづく」と書きながら教室から出ようとすると子どもたちが引き止めます。「じゃ少しだけだよ」「みんな良い子かな?」と言うと、もう椅子にきちっと座って私を見つめています。「じゃ出るよ」「ワン、ツウ、スリー」と手を開きました。今度は小さなスポンジの兎がたくさん飛び出しました。「わー」と歓声が上がります。

「それではみんな、良い子だからご褒美に兎さんのお話をします」と言い、黒板に「兎」の漢字を書きます。そして兎と亀の話をしました。

この日の教育的狙いは、「コツコツと慌てず、休まずに続けることが大切ですよ」を教えたかったのです。

手品を見せたのは、私に関心を示してもらいたいということと音楽の前奏の様に今から本題に入る準備をしてもらうためです。

もともと幼児期は好奇心が大盛で何にでも興味を示します。でも、無理に進めようとすると反発をすることもあります。手品師の様に「何が出てくるかな?何をしてくれるかな?」と思わせ、関心を持たせるようにし、ユーモアを交えて保育教育を進めることで効果が上がるように思います。

このような手法は様々あると思います。手法を考え研鑽していくことで保育教育の技術を高めることに繋がると存じます。

一粒で二度美味しい

以前、キャラメルの宣伝文句に「一粒で二度おいしい」と言うキャチフレーズがありました。

この言葉を借用するならば「一生を二度楽しもう」というキャッチフレーズにしたく思います。

「幼児期の教育的環境は人生を二度も三度も楽しめるのでは？」と思うのです。例えば日本語で感じたりできたら楽しいだろうと思うのです。歌も歌え、演奏、作曲、編曲、作詞ができたらどれだけ楽しいかと思うのです。そのような感性のほとんどは幼児期に身に付くものだと思います。

日本語で「素晴らしい」と感じるのと、英語で「ワンダフル」と感じるのでは同じことを表していますがニュアンスが違い、二度味わえると思うのです。「可愛い」を英語で「ベリー、キュート」と同じ可愛さを二つの言葉で味わえるのです。また、音楽でも、「夕焼け小焼け」の曲をラテン調やタンゴ調に編曲できたりすると楽しいと思うのです。それを「一生を二度楽しもう」という言葉で表したいのです。

それは幼児期でないと身に付きにくいと思います。豊かな人間性を育むのは、幼児期における教育的環境がとても大切と思っています。

頬の傷のA少年

私は以前、放課後、学習教室と言って小学生を対象に国語と算数の教室を開いていた時期がありました。そこへ小学三年生になるA少年が母親に連れられて来たのです。泣き暴れて玄関に入ろうとしません。

私はその子の顔を見て、ひざまずき「よくここまで来たね。偉い」と言って頭を撫ぜ、「今日はここで帰っていいよ。明後日の木曜日に来てください」と約束して帰しました。

その子の両頬には立て線の爪の傷跡が幾重にもありました。その顔を見て私はこの子の心の中がわかりました。

A少年は自分の気持を言葉にすることが苦手で、友達がそのことを馬鹿にし、A少年は、その腹立たしさを言葉が出ないものだから手が出るのだと思います。そうやってケンカやいじめにつながっているのでは。

A少年は私との約束を守って木曜日の日にやって来てました。この前は玄関先まででしたがその日は、廊下まで入ることができました。まだ、おどおどしているA少年に、「ここまででいいよ」と私は言い、そのまま帰しました。

その次の日は教室まで入る事ができ、私の横に座ることまでできるようになりました。

私はA少年の鼻を指さし、「ここはA君の鼻だね」そして私の鼻を指さし「ここは先生の鼻ね」そして「これはカードの鼻です」と言って漢字カードを机の上に置きました。そして同じように「口」の漢字カードを見せ、続いて「耳」と、机の上に三枚の漢字カードが並びました。

A少年に「耳のカードはどこにあるかな？」と聞くと素早く「耳」の漢字カードを指差すのです。「口」も「鼻」も正しく指さします。私はその都度「わー上手」と抱えて褒めました。A少年は今まであまり褒められ経験が無かったようで、私が褒めるたびに嬉しそうに飛び跳ね、喜ぶのです。それから漢字カードを一枚ずつ増やし、この漢字カード遊びをしばらく続けました。すると今まで声が出なかったA少年は小さな声で「みみ」と声を出して読むのです。

それからはA少年は喜んで教室に通うようになり、漢字カードを読み、私が九九を言うのを聞いて過ごす日が続きました。

それに伴い頬の傷も少しずつ良くなっていくのです。自然に言葉数も多くなっていくようになりました。

その後、A少年は教科も学ぶようになり、六年生までに算数の分数（分母と分子の違うもの同士の足し算、引き算）ができるまでに成長したのです。この分数の計算は通分と言う作業をしなければできません。それは言葉の理解がないとできないのです。自閉症と言われていた子がそこまでできるようになるのです。

このことから、どの子の能力も開発はでき、特に言葉の教育は重要であり、根気よくその子の可能性を信じて繰り返し指導することが大切であることをA少年から学ぶとともに当園の漢字教育の成果の一つと確信をしています。

教育と年齢

私は七十四歳で、ギターを始めました。今は始めてから九ヶ月ほど経ちます。毎日練習してどうにか四曲ほど弾けるようになりました。初めはこの歳で弾ける様になるか、心配でした。練習してみると意外と簡単に弾けるようになりましたが、Fコードが、なかなか音が出ません。以前ギターを演奏していた人に聞くと「そのFコードが難しくてギターを止めた」と言われ、そんなに難しいのかと思いました。とにかく練習をしてみようと思い一日に一〇回ほどそのFコードを弾くことにしました。そのお陰様で何とか音が鳴るようになりました。

教育は幼児教育が大切ということは当然なのですが、このことから人間は努力により遅い早いはあるものの年齢には関係なく成長することがわかります。

私は幼い時から母が弾くオルガンの音を聞きながら育ちました。そのためか楽器があれば触りたくなります。上手、下手は関係なくそのことにより自分自身の癒しにもなり気分転換にもなっています。

園児の前で弾くアコーディオンも少しでも教育環境を設えることに繋がるのではと思って練習しています。

いろんな顔。

その子を信じること。

その子の人格を認めること。

大人は子どもから教えてもらいます。

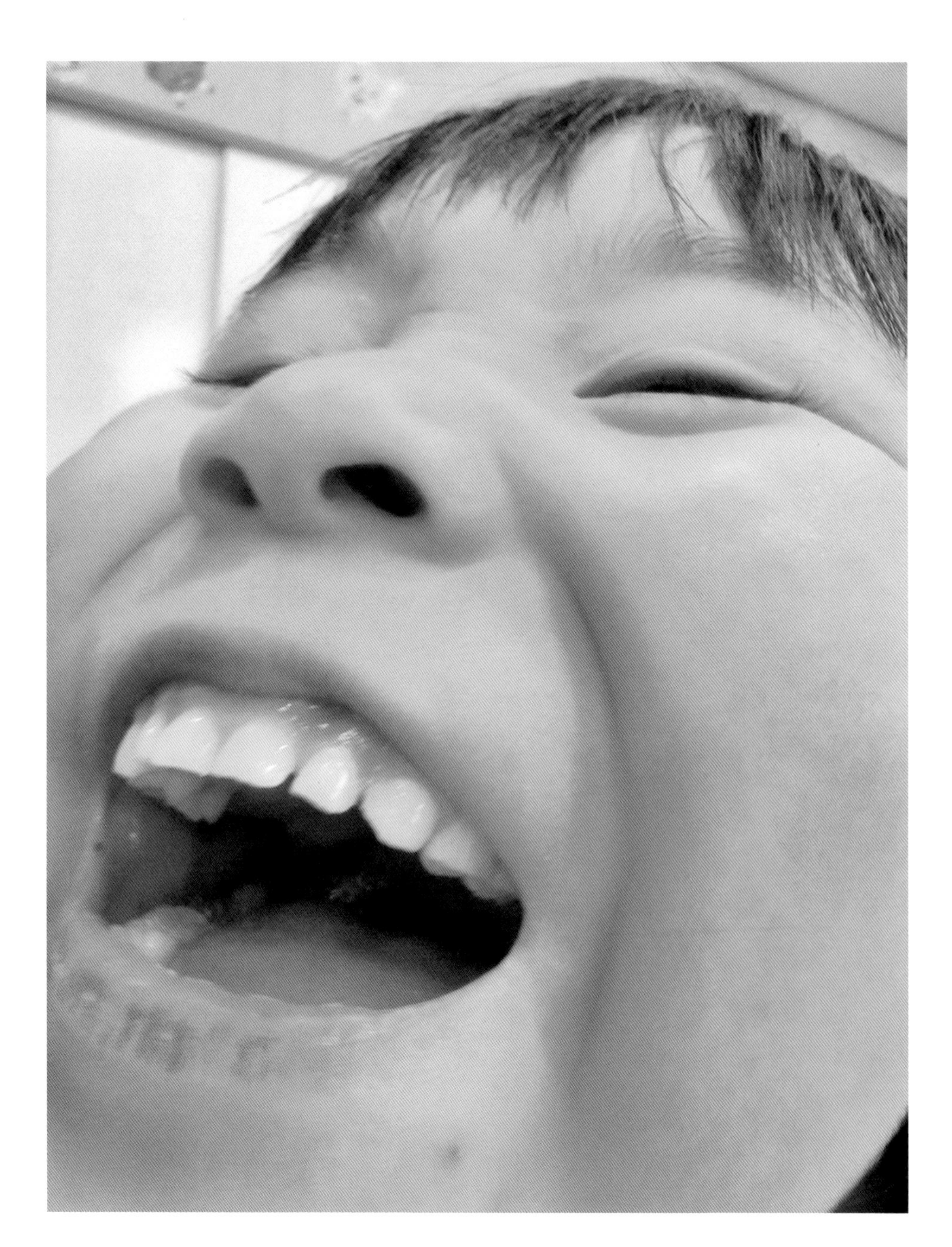

第三章

教えるとは

教えるとは
教える気持ちを捨てること。
ただ、聞かせるだけ、ただ、見せるだけ。

39

【門前の小増、習わぬ経を読む】

この諺はお寺の和尚さんは小増（子どもたち）にお経を教えるつもりはありません。小僧さんもお経を習うつもりはありません。しかし子どもたちはいつの間にかお経を覚えてしまったと言う諺です。

門前とはお寺の門の前もしくは境内の事で、そこで毎日、朝な夕な遊ぶ子どもたち、和尚さんも朝な夕なお経を上げます。その様な環境がいつの間にか、習うつもりがなくても、自然に耳に入り覚えてしまったのです。これが幼児教育の原点です。

幼児教育は遊びです。

遊びとは、「結果を求めない」「他と比べない」「強要しない」という楽しさがあり、勉強、仕事とは、「結果を求める」「他と比べる」「強要される」苦しさがあります。

食事の前、手を合わせて「頂きます」と大人が子どもに見せるだけで、真似をしようとします。

大人がキチンと習慣として見せることで、自然と子どもに伝わり、身に付いていくと思います。

40

「これ、なあに」と
子どもが聞いてきます。
「今、忙しいからあとで」と言いたくなりますが…。

子どもはよく「これ、なあに?」と質問してきます。つい、「あとで」と言いたくなります。お母さんの忙しい時、お父さんの仕事から帰って疲れている時に限って質問をしてきます。

実はこの時が一生の内で、最も学習意欲が盛んな時期だと思ってください。この時期を逃すと大きくなってから、「勉強しなさい」と命令になるだけ。その時はもう勉強しようとする意欲をなくしている恐れがあります。

また、この時期、子どもは寂しいのかも知れません。お母さんは家事に忙しく、お父さんは、疲れていて横になっていることが多いと思います。少し構って欲しいのかもしれません。

ニュース解説でおなじみの池上章さんがよく使う言葉で「良い質問ですね」と、どのような質問にも喜んで答えていますね。質問する人はみんな、びくびくものなのです。「こんなこともわからないのか?」と馬鹿にされるのでは、恥ずかしい思いをするのでは、と思いながらも好奇心には勝てず、勇気を出して質問することがあると思います。

ですからこの様な時は料理の手を止めて、包丁に気をつけて、「それは、象さんですよ」と、どうぞ答えてあげてください。

子どもは子守歌やお話が大好きです。
意味がわかってもわからなくても、両親の声を温かく聞き、
肌で感じることで、言葉の能力が高まるのです。

41

赤ちゃんを抱いてあやす時、静かに肌の温もりを伝えるだけでも安心した表情を見せてくれます。どうしたの、おなかすいたの、いいおてんきねぇ、そんななんでもないことでも語りかけていると、もっと幸せそうな表情になり抱いているこちらも心から嬉しくなります。

そんな語り掛けに笑顔を見せる赤ちゃんと同じように、少し片言で話すようになった幼児にとっても、お話しを聞くこと絵本を読んでもらうことは何よりの大好物です。ついさっき話したばかりなのにもう一回といい、また読み終えたばかりの絵本をそれは繰り返し読んで欲しいとおねだりします。

忙しい時もあるでしょうが、できるかぎりおねだりに応えてあげてください。意味がわかってもわからなくても、絵本を読む声があたたかくて、抱っこされた肌のぬくもりを感じる、素敵な時間を大切にしてください。言うまでもなく、それはごく自然に言葉の能力を高めることにも繋がります。なぜなら、誰でも最初は言葉の意味がわかりません。

何回も何回も読んだ絵本を、今日もまた読んでいる時、途中でちょっと読み間違えたりすると、「そこ違うよ、ちゃんと読んでね」などと子どもからチェックされたりした経験もおありではないでしょうか。そう、頭のなかに全部ストーリーが入っていても、それでもまた何度でも読んで欲しがるのです。

42

教育的環境を設える。
例えば、積木があるのと無いのでは創作意欲や想像力に違いが、
ブランコがあるのと無いのではバランス感覚に違いが生まれます。

当園では毎日、俳句や諺などを先生方が読み聞かせています。いつの間にか子どもたちは興味を示し、聞くようになり、声に出して読むようになります。このことにより俳句の持つ季節感、優しさ、楽しさ、それと共に日本語の奥ゆかしさを学びます。この様に先生が俳句を読むことが日本語の教育環境を設えたことになるのです。

結果は求めません。一人ひとり比べません。「読みなさい」と強要もしません。ただ先生は面白そうに読み聞かせます。例えば小林一茶の「やれ打つな　蝿が手をすり足をする」と読み上げた後、手をこすって見せるのです。また、「牛の子の　顔をつんだす　椿かな」という俳句では子どもたちの顔のところに「もー」と言って先生が顔を突き出すと子どもたちは喜びます。つまり興味を示すようにする工夫が必要なのです。それが教育技術だと思います。

その様な意味において当園では英語教育を設えています。本格的な英語を教えるライセンスを取得している先生が現在八名います。この方々が子どもたちに朝からお帰りまで英語で語り、生活しているのです。自然に英語が耳に入ります。これが英語教育を設えたことになるのです。

ただ前述したように、英語の先生も面白そうにするのに工夫はしています。もちろん、七夕製作の輪つなぎや天の川を英語で説明して作るのですからそれなりの工夫が要ります。

子どもたちは知りたがっています。
好奇心がいっぱいで、知的欲求が満たされると、
のびのびとし、活動が活発になります。

43

幼児期は知的教育がタブー視されているところがあるように思います。「まだ早い」「そんな難しいこと」「詰め込み主義みたいで可愛そう」と思われている方がいるようです。

ところが子どもたちは本来、好奇心が強く、知りたがっているのです。

例えば、当園では漢字教育を行っています。漢字が難しく感じられるのは、読むこと、書くこと、書き順、使い方を一度に教えようとするからです。例えるなら、赤ちゃんに、寝返りとハイハイと歩くことを同時にさせているのと同じことです。ハイハイで足腰を鍛え、歩くことができるようになるのです。

当園では漢字は読むだけです。漢字は意味を表す「表意文字」で、文字自体が意味を持ち、目で理解できる視覚言語です。子どもたちは絵文字を見ているのと同じ感覚で、漢字を読み、覚えていきます。英語教育も同様に、大人が聞き取れない言葉や歌を特に努力をせずに無意識の内に吸収しています。

もちろん、他人と比較したり、強要したり、結果を当園では求めていません。さりげなく繰り返すだけです。子どもたちは漢字が読めたり、英語の曲が歌えるようになると、もう、嬉しくてのびのびと目を輝かせながら園生活を送っています。

幼児期に言葉を覚える大切さは言うまでもありません。
一つの「言葉」そのものより、
言葉が紡ぐ「物語」が子どもたちを成長させます。

44

親子で一緒に顔や手を洗うとき、「顔を洗って、きれいな顔で『おはようございます』と言おうね」。

「ここにお花があるよ」「チューリップの花」「赤や黄色や紫色やいろいろな色の花があるね」などと言葉をかけることで子どもが身に付ける言葉の世界が広がります。

言葉を使いこなすのは他の動物と人との大きな違いの一つです。幼児期において言葉の能力が劣る子どもは知能の発達も遅れる恐れがあります。そのためにも焦らずに根気よく、繰り返し、生の声で話してあげてください。

また、吸収する能力と表現する能力には違いがあるため、意味が伝わってもも伝わらなくても、繰り返し語りかける内に吸収し、喋りだすようになります。

当園の特色の漢字教育は漢字を教えるのではなく、漢字を使って言葉の意味を教えています。例えば子どもたちが教室で粘土遊びをしているとき、「『粘土』遊びをしているのですか?」「うん。これ何だ?」「『蛇』に見えるね。そうか長くてカッコいいのを作ってね」。粘土で何を作っているのかを子どもたちに聞きながら、私はその言葉を漢字で黒板に書き出します。その後、書かれた漢字を指すと子どもたちは「粘土」「蛇」「人形」「蝶」と素早く大きな声で読み上げてくれます。

つまり、漢字は簡単なのです。目に見える言葉なのです。

教育というと教え込むことだと思っていませんか。
幼児期は教えるというより環境を設えることに気を配ります。
言葉があり、歌があり、笑顔のある環境です。

45

長年にわたって子どもたちに接してきて、幼児期の感性の鋭さには本当に驚かされます。いつもと違う匂いが流れてくるとすぐに騒ぎ出し、どこから聞こえるのか微かな声にもすぐ反応して、子どもたちの五感は大人の何十倍も鋭いのだと感心させられます。

お寺の子として生まれた私は、赤ちゃんのころからずっと線香の匂い、お経に包まれて育ちました。それと同じように、例えば農家に生まれた赤ちゃんは、土や草の匂い、風の音の中で育ち、四季がめぐる自然への感性が身体にしっかり染みついたまま、それぞれの個性を持ち、人間性あふれる大人へと成長するのだと思います。

そう、幼児期の教育とは環境に大きく左右されるものだと思います。教育というと、いろいろ教え込むことだと思っている方も少なくないでしょうが、「環境を設える」ということが何より優先されるのだと考えています。

楽しそうに鼻歌を歌っているお母さんに育てられた子は歌が好きで明るい笑顔の子に、ボールを蹴ったり投げたりしているのを見て育った子は野球やサッカーが好きな子に成長するはずです。そんな思いを大切に、当園では、いっぱい歌があり、多くの楽器があり、あちこちに言葉があり、感性豊かな子どもを育てています。

さりげなく、「これは楽しいものだ」と
思わせてしまえばいいのです。
楽しさを知った子どもたちは自らどんどん学びはじめます。

46

こんな面白い現象があります。

お遊戯会（発表会）の練習で先生が子どもの見本となるように踊ります。それを先生の正面に立っている子が見て、真似をして踊るのですが、正面に立っている子より、先生の横、脇の方で踊る子の方が上手に踊るのです。また、英語のお遊戯会練習でも舞台に立つ子にセリフを教えるのですが、舞台に立つ子よりも、その練習を見ている子どもの方が上手にセリフを覚えるのです。

つまり、先生の前に立つ子は先生に教えられ、その様にしなければならないと思う気持ちと自分はこれを発表しなければというプレッシャーで緊張してしまい体が自由に動きにくくなったり、声が出にくくなってしまうのではと思うのです。

「今日は練習を止めるか」と私が言うと「やろーやろー」と子どもたちが反対します。「みんな、もう上手になったから練習を止めよう」というと、自ら積極的に踊り、セリフを言い始めます。「カッコいい」と褒めるとますます積極的になり、翌日からお遊戯やセリフの練習を自由遊びの時間でも、お迎えを待つ間でも練習しています。

本来、子どもはお遊戯が大好きなのです。ですから楽しそうに見せ、できるだけプレッシャーを取り除く様にすることで、自ら楽しく練習に励むようになるのです。

同じことを何度も何度も聞いてくるとき、
それは子どもにとってものすごく学びに前向きなときです。
同じことを何度でもやさしく言ってあげてください。

47

お子さんから何度も同じことを聞かれて、この子は物覚えが悪いのかしらと思ったり、ひょっとしてしつこい性格なのかしらと心配したり、そんな幼児期の思い出を持っている方も多いのではないでしょうか。

ついさっきも言ったでしょ。きのうも同じこと聞いたでしょ。と、つい言いたくなりますが、まだまだ知らないことがいっぱいで、あれもこれも知りたくて、まさに幼児期は好奇心のかたまりなのです。そんな時期は、ものすごく学習することに前向きで、ものごとの吸収力も高まっていますので、同じ質問にも何度でもやさしく答えてあげてください。

そう、やさしく答えるというのが大切です。子どもたちにしても、何を聞いてもいつもちゃんとやさしく答えてくれる人が、いつも側にいるのは何より嬉しいのです。何か聞いても嫌な顔をされたり、さっきも言ったでしょと叱られたりしたら、子どもたちにしてもお母さんに何度も聞いちゃいけないんだと、いつのまにか質問することそのものをしなくなってしまいます。

やさしく答えている内、たまには「それ何だったかな？」と質問で返して見てください。子どもが答えてくれたら、「ピンポン！　よく、わかったね」とどうぞ、褒めてあげてください。

次の日もその次の日も
同じ絵本を読んでほしいと笑顔でせがむ子どもたち。
その次の次の日も笑顔で読んであげてください。

48

どうでしょう。ご自分の子どもの頃にも、やはり同じ絵本を何度も読んでとせがんだことを、遠い記憶として覚えているのではないでしょうか。大人にとっては単に同じことの繰り返しのように思えても、子どもたちにとってはいつも新たな発見があるからこそ、同じ本でも繰り返し読んで欲しがるのです。

花の苗を植えたプランターに肥料をあげてもすぐに伸び始めるわけでも、花を咲かせるわけでもありません。肥料がじっくりと土になじみ、やがて茎を伸ばし葉をひろげ花を咲かせます。子どものころの絵本は、言葉を育てるまさに肥料と同じようなものではないでしょうか。

いつもは「むかしむかし、あるところに…」と読む絵本でも、ちょっと遊び心を出して「むか～し、むか～し、おおむかし…」と読むと、「ママ、それちがうよ」「むかし、むかし、あるところに、でしょ」などと、お子さんはすぐに反応することでしょう。

そう、そんなふうに絵本を読む方も楽しんだほうがいいのです。読み方の間合いを工夫したり、ちょっと文章をアレンジしたり、そのときのお子さんの反応もまた楽しんでください。お子さんにとっても、それが国語力によく効く肥料となってくれます。面白く読めば読むほど、次の日もまた読んでとせがまれますけどね。

子どもたちにとって大切な競争心。
四、五歳になるとごく自然に生まれてくるものですが、
決して「比べること」には使わないでください。

49

幼児教育の基本として、子どもたちを決して比べないということを日頃から心掛けています。でも他の子と比べられる環境になくても、年中組、年長組へと成長するうちに、競争心が生まれてくるのもごく自然な流れです。子どもたち自身が負けず嫌いになり、ライバル心を持つようになることは決して悪いことではありません。

でも子どもたちの成長には当然ながら早い遅いがあります。その差を比較するのではなく、違いであり個性なのだととらえることが大切ですし、ネガティブではなくあくまでポジティブな接し方が求められます。

「○○くんより遅いよ早くしなさい」「○○さんはできるのに○○さんはどうしてできないの」といった言い方はとんでもありません。また、つい命令形になり押しつけたりしがちですが、あくまで自主的に片付けたんだ、言われる前に自分からしたのだと、本人が思えるようにすることを心がけたいものです。

「いちばん早くかたづけられるのは誰かな?」「教室に戻るのは誰がいちばんかな?」と競争心を上手に育てる言い方をして、かたづけが終わったら「上手だったね」「教室に戻ったの早かったね」とみんなをほめます。ほめられて嬉しいのは子どもも大人も同じですし、次はもっと早くもっと上手に、とどんどん成長します。

江戸時代の寺子屋で論語を音読していたように、
意味よりも先に音と言葉に体を慣らすことから始めたいもの。
時代は変わっても「習うより慣れろ」は大切です。

50

いわゆる寺子屋で子どもたちに教えていたころ、子どもたちに意味がわかろうがわかるまいがお構いなしに、論語の音読が行われていたと言います。大きな声を出して読む、それも何度も何度も繰り返し読んでいました。

意味をわかろうとする前に、音にした言葉に体を慣らすといいますか、体で覚えることを大切にしていました。職人的な技を学ぶときは、今でも「習うより慣れろ」とよく言われますが、それと同じで学問についても「まず習うより慣れろ」が基本だったのでしょう。

もちろん大人になってからの学び方はまた異なることもあるでしょうが、寺子屋に通う子どもたちや、今、園に通う幼児たちにとって、言葉を理解させてから覚えさせるというより、その前に繰り返し言葉を大きな声に出し自分の耳で聞くことから始める方が、より身に付き、より理解を深める学びになるのではないでしょうか。

私はお寺の子として生まれましたので、お経を子守歌のように聞き、また意味がわからないなりに門徒さんたちの会話を聞きながら育ちました。そのときに聞いた言葉が、この歳になって新たな気付きを与えてくれることもあり、幼児期に身に付いた事は一生涯にわたり役立つことを実感しています。

例えば、現実にはない鬼さんや地獄など。
空想の世界へ子どもたちを誘い込み人間の心の深さ豊かさに、
気付かせるのも大切な教育の一つです。

51

子どもの成長期には、感情のコントロールができなくて駄々をこね泣きじゃくる時期があります。近年では、怖い話はしないでくださいと言われることもあるのですが、愛情をもって鬼などを登場させても良いのではないでしょうか。

「そんな悪いことをすると地獄に落ちるぞ」「わがままばかり言っていると鬼に舌を抜かれてしまうよ」などと、子どもたちに言うとき、それはいたずらに恐怖心をあおるのではなく、子どもたちの想像力に期待するということに他なりません。子どもたちがどんな地獄を想像して思い描いて泣き止むのか、どんな怖い鬼を思い浮かべておとなしくなるのか、じっと見守ってください。

このように現実にはない鬼や地獄といった空想の世界へ子どもたちを誘い込むというのも、人間の心の深さ、大きさ、豊かさに気付かせるための大切な教育の一つではないでしょうか。

もちろんそう遠くない時期に、地獄なんかないし、鬼さんなんかいないもんと言い始めることでしょう。でも地獄や鬼が怖かったという記憶は心の奥に残り続けます。それが「良心の呵責」や「自責の念」といった社会生活にとってなくてはならない基本を身に付けることになるはずです。これら良心の呵責や自責の念は、本能ではなく生まれてから学ぶものなのですから…。

いつ、だれに、教わったのかは覚えていませんが、
私たちは言葉のそのほとんどを幼児期に覚え生涯を暮らします。
幼児教育はまた、生涯教育と同じなのです。

52

小学三年生の子が当園に遊びにきた時のことです。玄関ホールに貼ってある俳句カードを見て、すらすらと読み始めたのに驚いて聞きました。「難しい漢字で書いてあるのに、よく読めるね。こんな俳句をどこで覚えたのかな。誰に教えてもらったのかな」と。

その子の答えは、俳句を誰かから習った覚えもなく、すらすら読めるのが自分でも不思議だということでした。実はその子は当園の卒園生ですから、園の玄関ホールで先生が毎日いつも読み上げていた俳句カードが、知らず知らずのうちに脳に刻み込まれていたに違いありません。

言葉のそのほとんどは幼児期に身に付けるものですし、ごく自然におしゃべりするようになります。どこで誰に習ったのか、わからないうちに身に付ける能力を「非認知能力」と、言いますが、子どもたちのこの能力は凄いものです。幼児期に聞いた諺や格言、俳句などは、いつの日か成長したその子の脳裏にふと浮かんで、心の支えになることもきっとあると思います。

まさに幼児教育は生涯教育に繋がっているのです。ご家庭でも、俳句や短歌、四字熟語などにいっぱい触れさせてあげてください。そのときは意味がわからなくても、いつしか言葉が磨かれ、その言葉がまた心を磨いてくれます。

大人の常識を考え直すことも大切です。
子どもにとって漢字は難しくて、ひらがなは簡単だと…。
そんな簡単な話ではありません。

53

ひらがなやカタカナは音を表した表「音」文字で、漢字は意味を表した表「意」文字であり、視覚言語です。例えば「兎」と漢字を読んだときは、すぐに耳が長くて、ぴょんぴょん跳ねる動物の兎だと思い浮かべられます。でも「うさぎ」とひらがなを目にしたときは、具体的に思い描くまで少し時間がかかるのではないでしょうか。

「兎と亀」のお話を子どもたちにするとき、兎が登場するときは「兎」を、亀が登場するときは「亀」と漢字を書いたカードを黒板に貼り、その動物が登場するたびに指し示します。読み終えた後に、漢字カードを示して子どもたちに聞くと、すぐに「うさぎ」「かめ」と正確に答えてくれます。

他の絵本を読むときも同じようにすると、「狸」や「狐」も、「犬」や「猿」も、すぐに大きな声で読みあげます。大人の常識では、ひらがなは簡単で漢字は難しいので、幼児期にはひらがなを使って教えるのが良いと思い込みがちですが、漢字を使えば使っただけ子どもたちは漢字を覚える能力が高まります。

ただ漢字の書き取りテストで良い点が取れるようにと、そんな思いで次から次にいろんな漢字を教えてもダメです。子どもたちは、絵本に出てくる動物や目や口や鼻など体についているものなど、自分にとって興味のある漢字だからこそ、ごく自然に覚えて大きな声で言うようになるのですから。

漢字教育、英語教育、音感教育、体育教育、宗教教育…。
子どもたちにとって、これらの学びを脳だけではなく、
感性として、体全体で吸収できるようにしたいものです。

54

当園では、漢字教育、英語教育、音感教育、体育教育、宗教教育と幅広く行っていますが、これらはすべて「感性教育」の一環だととらえています。知識として脳だけで吸収するのではなく、体全体で吸収することを目指しているのです。そう、人間の脳や体はまさにミクロの宇宙であり、その細胞の数は脳で数百億個、体全体では数十兆個にもなると言われていますから……。

視覚、聴覚、臭覚、味覚、触覚。子どもたちにとって、それぞれが持つ感覚もまた個性です。ある一つの感覚だけが特別に優れていたり、それぞれの子どもたちが吸収する量も速さも計り知れません。

当園に入園された当初は、多くの方が漢字や俳句が貼り出されていることに驚かれます。例えば「山路来て何やらゆかしすみれ草」。山歩きでふと立ち止まり見た小さなすみれの花に癒されたという芭蕉の句です。子どもたちにそんな意味がすぐに理解できるはずはないのですが、何度も口ずさむうちに子どもたちなりに感じるというか、何かに気付いたりするものです。

そんな感性を育む環境を大切にしていますが、あくまで幼児期の教育というのは遊びの延長だと考えています。結果を求めない、他と比べない、強要することなく、さりげなく、楽しく遊ぶことが体全体での吸収につながります。

上から目線で教えようとしてもダメ。
スポーツでもお絵かきでも練習させよう学ばせようとすると、
子どもはすぐに興味を示さなくなりがちです。

55

「雀百まで踊り忘れぬ」。この諺はご存知のように、幼い頃に身に付けたことは一生忘れないということです。幼児期に繰り返し読み聞かせたことは脳にも体にもしみ込んで大人になっても忘れることなく、ふとしたきっかけで思い出し役に立つものです。

ただ気を付けておきたいのは、良いことも悪いことも、どちらも百まで忘れないということ。例えばスポーツやお絵かきなど、自分は好きでもなんでもないのに無理矢理やらされると、嫌になり拒絶反応を示す恐れがあります。あくまで、さりげなく楽しそうに、いっしょに繰りかえし遊ぶ気持ちを大切にすることで、ごく自然に子どもたちの身に付くものです。

朝でも昼でも、玄関でも廊下でも、教室やホールでも、食事の時も昼寝の時も、子どもたちが自分で楽しいと思うことなら、いつでもどこでもどんな時でも興味を示してくれます。つい教えよう、覚えさせようとしがちですが、そんな気持ちは表情に出て、子どもたちにすぐ気付かれてしまうものです。

私はアコーディオンを弾き歌いながら、四季折々の歌で子どもたちと遊ぶことがあります。上手に弾こうとか意識すると失敗しがちですし、指の動くままに合わせて楽しんで弾き歌うと、子どもたちも楽しそうに聞いてくれます。

安心安全が充実する怖さ。
バリアフリー化が進み、段差が無ければ安心ですが
そこには反面、危険もあるのでは？

56

よく安心安全と言う言葉を耳にします。当然、怪我をしない様に無事であって欲しいと思う気持ちは、人一倍あります。

以前、幼児を歩行器で歩かせることが流行したことがあります。子どもを歩行器に入れて遊ばせせば転ばず、何かにぶつかっても怪我がないため、親は安心です。でも成長し、歩行器を使わない時期になると、歩行器で育った子どもは転んだ時、手を出さずに、顔から床に落ち、怪我をする傾向がありました。

幼児の動きは駆け足が標準です。よく「走らないで」と言いますが、幼児の駆け足は大人が歩くリズムと同じなのです。なぜなら、幼児の腕や足は短く、心臓の鼓動も早いため、自然と駆け足になるのです。

ですから少し広い所があれば子どもは走りだします。これは、自然に体を鍛えているのだと思います。

周囲が危険でなければ、駆け足をする姿を見守りながら、充分に遊ばせてあげてください。より足腰が強くなり、敏捷性なども養われ、危険回避能力が養われます。

当園では体育やサッカーの講師の先生を招き、体位向上、健康増進、危険回避能力を育むことにも力を入れています。

日本には外来語が驚くほど多くあります。
なぜかと考えると、オシャレで、カッコイイと思えるからでしょう。
そんな言葉に対する感性も大切です。

57

私たちの毎日の暮らしのなかに、いつのまにかすごい数の外来語が入り込んでいます。思いつくままにあげてみますと、ワイド、プレミアム、デラックス、オーディション、ライブ、ヒストリー、ポイント、サマー、ウィンターなど、切りがありません。外来語が蔓延することで日本語が乱れてしまうので、子どもたちにも本来の日本語を大切にするよう教育しましょう。そんな意見があることも確かですが、外来語をちゃんと生活の中に取り入れて、ある意味では「日本語化」してしまう日本語の懐の深さみたいなものもまたあるのではないでしょうか。

当園の先生方に、外来語が多い理由について聞いたことがあります。その答えは、「オシャレだからじゃないでしょうか」「カッコイイ使い方ができるからだと思います」「若い子は、英語など外来語に抵抗が無くて、ただ言葉を感性で使い分けているような気がします」とのことでした。

そうなのです。私も言葉は感性なのだと思いますし、感受性の強い幼児期というのは、それこそ言葉の感性が磨かれる大切な時期です。もちろん、当園の特徴でもある俳句や漢字を使った教育、そして英語教育に込めているのは、「日本語そのものが持つ感性に敏感でありたい」との願いに他なりません。

覚えてからが本当の学習です。
大人は単調な反復を嫌いますが、子どもは繰り返しを喜びます。
覚えてしまった絵本でも何度も読んであげてください。

58

子どもたちは、お気に入りの絵本を何度も「読んで、読んで」とおねだりします。それは、この絵本は面白いということを覚えてしまったということで、このあと繰り返し読むということが本当の学習に繋がるのだと思います。

大人にとって同じ本を読むというのは、とっくに物語の展開が頭に入ってしまっていますので面白くもなんともないことです。でも、子どもたちが「読んで、読んで」とおねだりするとき、それは学習意欲が旺盛で、吸収力も高まっている時なのです。

おねだりされたお母さんお父さんたちは、忙しさや疲れていることを言い訳にして、つい「あとで」となりがちです。そんなときは、「絵本を読んで欲しいと、おねだりするということは、いま学習意欲がとても高まっているんだ」ということをちょっと思い出して、少しの時間を子どもと遊ぶ、子どもと楽しむために使ってあげて欲しいものです。

同じ絵本を読むことをおねだりするのと同じように、同じ玩具で同じ一人遊びに夢中になっている時もまた、子どもたちにとっては何かを学ぶことに一所懸命な時間です。そんな時は、集中している子どもの邪魔をすることなく、じっと見守ってあげてください。

新型コロナウイルスの恐怖と共に。
命の尊さを知ることができます。
生きているのではなく、生かされているのだと。

59

朝、元気に出かけたのに、帰りには新型コロナウイルスに感染し、亡くなられた方がいたと聞きました。

蓮如上人と言うお坊さんはそのことを「朝には紅顔ありて　夕べには白骨と　なれる身なり」とお手紙で信徒の方に伝えています。この世の無情と共に命のはかなさを述べたものだと思いますが、それだけに今生きていることの有り難さを、いくら感謝してもしきれないと思います。そればかりか自分の命だけでなく、子どもの命も授かっているのだと思うと、この様な幸せは当たり前のことではなく、頂きもの、授かりものであると思います。宗教教育といった大げさなものではないのですが、感謝し手を合わせる生活習慣が大切に思われるのです。

さて、この本では「肌の温もりを感じさせながら愛情を実感させてください」と多く記載しました。今はコロナウイルス感染の心配から密接を避けろと言うことですが、親子の絆は抱っこしたり、おんぶしたり、くすぐるなどして、密接に関わることが大切だと思います。もちろん、衛生面に気を付け、手洗い、うがい、換気、体温測定などをして、子どもと関わり、絆を深め、子どもの成長の一瞬一瞬を喜ぶことができる良い機会ではと思います。

「わかったよ、わかったよ」と受け入れながら「あなたは良い子で私の宝物だ」と。

感動が子供を育てます。
幼子はみんな才能をもって生まれてきます。
大げさに褒めることでその能力が確実に伸びます。

60

当園に来たお客様が驚くことがあります。それは、漢字で書かれたそのお客様の名札を園児が読み上げることです。私たちは当園の子どもたちが漢字を読むのは当然と思っていますので、特に驚きはしませんが、お客様は小さな子が漢字を読み上げるのでとても驚かれます。「わーすごいね」と大人が驚き、褒めるものですから、子どもたちはうれしくなり、別の漢字も得意になって読み上げます。そのような喜びが自信となり、どんどん漢字を学ぶようになります。

当園で漢字教育を取り入れたのは今から四十六年前の昭和四十九年です。導入当時、まさか子どもたちが漢字を読めるとは思わなかったのでびっくり仰天。猿、蟹、象、狼など読むのです。今では幼児が漢字を読むのは簡単だということが理解できます。それは漢字は言葉が見えるためです。漢字を読むことで想像力や感性が養われ、能力が一段と高まっていると思います。

「お母さん、象はお鼻が長いね」と子どもが言ってきたとします。大人には当たり前のことですが、子どもは初めてその事実に気が付いたのかも知れません。そしてそのことを母親と共有したいのかも知れません。

感動して褒めることは、子どもの能力を伸ばす、秘訣の一つと考えます。

免許証ケース

疑いと信頼

夏の日でした。私は園の玄関ホールで子どもたちの登園の様子を見ていました。どの子も「お早うございます」と私に元気に挨拶をしてくれます。中には恥ずかしいのか、小さな声で挨拶する子もいますが、みんな笑顔で透き通る様な心がそのまま表情に表れていました。

年中組の子が挨拶の後、私の背中に回り、「これなあに」と私の胸ポケットから免許証ケースを取り出すのです。「これか、これはね、免許証ケースだよ」と言うと「免許証ケースってなんや?」と言うので「この中に自動車の運転免許証やカードが入っているケースや」「ふーん」とこの様な物を見たことが無いのか不思議そうな顔をしていました。少しそのケースを見つめていて、「これ教室に持っていっても良いか」と聞くのです私は一瞬、これを無くしたら大変だなと思ったのですが、この子を信頼してみようと思い「良いよ、だけど約束だぞ。それを無くすと私は運転できなくなるし、カードは幼稚園の鍵になっていて、それが無くなると幼稚園に入れないいし、鍵を掛けることができなくなるから後で返してくれよ」と言って持たせました。

しばらくして、友達や先生に見せたのかわかりませんが、その子は約束を守り、私のところへ持ってきました。その表情が何ともいえないにこにこ笑顔なのです。私もその子が約束を守ってくれた事が嬉しく、「よく約束を守ってくれたな、偉い」と頭を撫ぜて褒めました。お互いに気持が通じ合った喜び、信頼することの快さ、ほのぼのとした心地良さが二人の間に生まれ、快晴の空の様に透き通るすがすがしさでした。

幼児の可愛さはこの純粋な笑顔にある様に思います。その疑いの無い笑顔はかけがえのない喜びであり、幸せな気分になります。私たち大人はつい忙しさのあまり「何しているの」と疑ったり「早くしなさい」と急かせたり「昨日も言ったでしょ」と責めたりすることがあります。

なぜこの様になるのか?、家庭の主婦は忙しいのです。家事に、子育てに、仕事に一人三役でそれは、それは大変忙しいことだと思います。それだけ皆様は多くの人に期待されているということです。それは喜びでもあり、幸せなことなのです。私たち老人には誰も期待してくれません。体力能力が衰え、身の回りのことまで若い人に手伝ってもらわないとできないので情けないし、何のために生きているのかと思うようになるのです。他人から期待されることは幸せなことであり、特に子育ての時期は人生に二度と無い充実した時なのです。充実感を充分に味わうことが幸せを招くことに繋がります。

話は変わりますが、私は女性には男性に無い武器がある様に思います。それは柔らかさと辛抱強さにあるように思います。柔らかさを生かすことお勧めします。例えば、ご主人の帰りが遅くなった時、しみじみと胸に手を合わせ「私、困るわ」と言ってください。ご主人も遅くなって悪かったと思って帰って来るのです。そこで強く出られると反発してしまい、家庭へ帰っても自分の居る場所が無くなるような思いになる恐れがあります。「私、困るわ」と柔らかく言われると悪かったと思うようになり次の日から早く帰るようになるのでは…。自分は受身で柔らかくしみじみと語りかけ相手の自主性を促すことに重きを置くことが大切に思います。そのうちに相手を信頼すると言う気持ちがお互いに芽生えて来る様に思います。

この柔らかさを子育てにも使えると思います。

「そんなに、わがままを言うとお母さん困るわ」と柔らかく語りかける様にします。子供も大好きなお母さんを困らせようとしているのではありません、そのうちに言葉の意味が少しずつわかるようになり、わがままを言わなくなり、お母さんのお手伝いを少しずつする様になるかも知れません。少しでも手伝ってくれたら、そのあなたの柔らかい胸で包み込むように抱きしめ褒めてあげてください。そうすると子どももお母さんがもっと好きになり、お片付けもお掃除も、食器洗いも手伝ってくれ、あなたが読む絵本も楽しく聞いてくれるようになるのではと思います。

顔、顔、顔

可愛い、良い子、笑顔

今では、私はめったに教室に入らないのですが、たまに給食の時間とか、アコーディオンを弾く時など教室に入ります。教室の入口で「お邪魔します」と言って入ります。そうすると、そこには顔、顔、顔があります。

疲れていて気分が悪い日もたまにはあるのですが、子どもたちの顔や表情を見ると疲れがとれ、明るく楽しい気持になります。この仕事をして五十四年になりますが、この仕事で良かったと思います。

この様な笑顔一杯の子が育つのは保護者の方、先生方がその様に子どもと接しているからだと思います。その子を信頼し、その子を可愛いと思い続け、その子を良い子と褒め、人格を認めているからだと思います。

体験入園や公開保育、子育てサークルなどで初めて園に来る子は不安と緊張が入り混じった顔です。その子たちにその子の前で、『おもちゃのチャチャチャ』を歌いながら、「可愛いね」と話し掛けながら手を叩いて見せます。ほとんどの子が笑顔になります。また、髪を三つ編みにし、リボンで結んでいる女の子に「このリボン可愛いね」と言うとうれしそうな表情になります。「誰にしてもらったの？」と聞くと言葉は出ませんが、視線の先にはお母さんがいます。

最初は不安そうにおどおどしていた子どもたちが帰る頃には「まだ帰らない。園で遊びたい」と言っています。

元来、子どもは素直であり疑いを持っていません。その目は澄んでいます。その子どもに正直になろうと努力することが大切だと思うのです。

つい疑いの気持になったり、命令形になったり、人格を否定するような言葉が出る恐れがあります。そんな時は、自分の気持ちを切り替え、「この子は素直なんだ。良い子なんだ。可愛いのだ」と思うことで、子どもとの接触が全く違った気持ちになります。

ドラえもんと人間関係

「新型コロナウイルスに思う」

先日、新聞でこんな記事を読みました。

『ドラえもん』のお話で、ジャイアンがのび太をいじめるのでドラえもんから人を消す道具をもらい、ジャイアンを消します。そしてスネ夫も邪魔になり消します。その内に誰も彼も邪魔になり消してしまいます。皆が消えてしまった後、のび太は孤独で寂しくなり「ジャイアンでもいいから帰って来て」と大きな声で叫んだというお話です。

人は他人とが関わることが、億劫で辛くて嫌で窮屈な時があります。ついあの人がいなくなればと思いますが、しかしその人を除いても、また家に閉じこもったりしても、人が恋しくなり人の集まる所へ参加したくなります。

ところが新型コロナウイルスで人との集まりや接触などを避けろとテレビなどで叫ばれ、大切な人との関わりができなくなってきています。

園でも自粛で園児の登園も少なく閑散としていた時もありました。その時期のことです。園庭の砂場で遊んでいた園児が、私の所へシャベルを持って近づいて来ます。密接はいけないとはいうものの何か言いたそうです。距離をとって聞くと「大きな砂のお山を作った」と言っているのです。本当はもっと近くで「そうか砂の山を作ったのか。すごいな」と言って抱きしめ、頭や背中を撫でたかったのですがそうはいきません。子どもはいつもと違う私の態度に少し戸惑っているようですが、受け入れてくれたことが嬉しかったのか元の遊びに戻り、楽しそうにその続きを始めていました。

人は誰かと関わらないと自分一人だけ取り残された気持になり、寂しく、疑心暗鬼になり、辛く負い目を感じ、心がよどんでしまう恐れがあります。それは大人でも同じです。

ご両親を始め、大人の世話、介添えそして肌の温もりを感じさせなければ、子どもは不安で心がいじけてしまう恐れがあります。

この今の時期だからこそ、いろいろな遊びを子どもと共に遊ぶことをお勧めします。歌を歌ったり、お話や絵本で語りかけたり、画用紙でお絵かき、折り紙、積木、歌留多、そして公園などで草花の名前や色そして美しさを親子で感じながらの散歩など。

充分に衛生に注意しながら、肌の温もりを感じ合い、触れ合うことが大切に思います。親子で遊ぶことで子どもは知らず知らずのうちに親の愛情を実感しているのです。

こらむ

ビタミンI

弁当と給食

「今日はビタミンIの日ですよ」。登園してくる子どもたち、保護者の方に言いました。みんな、きょとんとしています。保護者の方に「今日はお弁当を作ってくれたでしょう?」と言うと笑顔になります。

木津幼稚園では毎週水曜日がお弁当の日です。子どもたちは早く、お母さんの作ってくれたお弁当が食べたくて、お弁当の蓋を開け中身を得意になって見せてくれます。

卵焼き、ソーセージの蟹や蛸、ハートの形の卵、海苔でキャラクターが描かれたご飯、苺や林檎など、手が込んでいます。お母さん方の愛情の深さを感じます。

朝の忙しい時間に作るのは本当に大変。そのお弁当に込められている栄養素はビタミンI(愛)だと思います。

お母さん方はお弁当を作る時、わが子の喜んでくれる顔を想像して作っているのではと思います。「お母さんにありがとうと言おうね」「お母さんはあなただけのためにお弁当を作ってくれたのですよ」と言うと子どもは嬉しそうに「はい」と答えてくれます。

どの親御さんも我が子を愛しています。でも子どもは自分が愛されていることを実感できない時があります。お弁当の日を通じて、親の愛情を実感できるのではと考えています。

ビタミンI(愛)ですが給食には無いのかというとそうではありません。給食を作る人は愛情込めて一所懸命作ってくださいますし、栄養計算もできていて美味しい給食です。

でも、園児と先生含めて、二〇〇名以上の給食を作って頂く訳です。それだけ愛情が分散されることになります。そこがお弁当と違うところです。ですから弁当の日と給食の日の両方あることが必要だと思います。

ある日の給食、トレイに食事をのせ、三歳未満のクラスへ行き、「おじゃましていい?」と入口に立ちました。子どもたちは「どうぞ、どうぞ」と言って私を招いてくれます。私は嬉しくなってクラスに入ると、一人の子が椅子を持ち、「ここへどうぞ」手招きをします。「ありがとう」と言って座ると別の子が「ここへ来て」と手招きをします。「ありがとう。今度来る時そこに座るから」と答え、一緒に食事をいただきました。

園児用の小さな椅子に座ると子どもたちの表情を間近に見ることができます。どの子も可愛く、瞳が輝いています。三歳未満のクラスですが、みんなご飯をきれいに食べているのです。正直、驚きました。日々の成長を感じることができました翌日は、三歳から四歳のクラス、年少クラスへ行きました、この日も子どもたちから歓迎を受けました。この日のメニューはカレーライス。普段、私は一人寂しく食べていますが、多くの人と食べることがこんなに美味しく楽しいのだと再認識しました。

有難う、有難う

感謝と尊重

「お母さんに有難うは?」「お爺ちゃんお婆ちゃんに有難うは?」「先生に有難うは?」と感謝することをさりげなく、その都度、言葉を掛けることが大切です。「幼稚園でお雛様、作ったの。お父さんに見せておいで」とさりげなく、その都度、言葉を掛け、人を尊重するように仕向けます。

世の親は子育てにご苦労なさっています。しかしそれを自分で言っても当然のことながらあまりわかってもらえません。人は他人が認めて、感謝し、敬うとその人の素晴らしさが引き立ってきます。大統領も首相も会社の社長も側近の部下が立ててくれるから、自信を持って言動ができるのです。

スポーツの試合で優勝した選手のインタビューに「親に感謝したい」という言葉が一番、最初にあります。素晴らしいことだと思いますし、そうでなければ優勝などできません。

その気持を育てるには、普段から子どもに感謝するように言葉掛けをさりげなくすることをお勧めします。そのことで本人が多くの有り難さ、親の愛を頂いていたかを知ることに繋がると考えます。

子どもたちの情緒の安定と健やかな成長を願って

ようこそ、この本を手に取りページを広げて下さいまして、ありがとうございます。私のような浅学菲才な者が、このような一冊を世に出させて頂きましたこと、本当に恐縮の限りです。

幼児教育に携わって今年で五十四年目になりますが、その間ずっと疑問に思いながら、頭を悩ませ考え続けたことが多々あります。例えば、なぜ赤ちゃんのことを授かり物だと言うのか、なぜ他の子と成長に差があってお母さんを心配させるのか、なぜ同じ質問ばかりしてお父さんを困らせるのか、なぜお爺ちゃんお婆ちゃんは子育てに苦労した頃が一番幸せだったと言うのかなど、これらの素朴な疑問を持つのは皆さんも同じではないでしょうか。

長年にわたる幼児教育の経験と、今年で創立八十五年を迎える当園の歴史と、そして様々な著書で学んだこと、メディアや講演などで聞いたこと、さらには多彩な方々との交流の中でお話しさせて頂いたことなど、これまでの歩みを振り返りながら私なりの思いを記したのがこの一冊です。

保育教育に関わる一人として、
これからも子どもたちのために自らは何ができるのかを考え、
保育教育の未来を切り開き続けたい。

当園の創立は昭和十一年のこと。初代園長星名慶誓が、正楽寺境内で遊ぶ子どもたちを正しく導きたいと願い私立木津幼稚園を設立したのが始まりです。当時は幼稚園など幼児をあずかる施設も少なく、地元の方々の理解と協力を得ての開園でしたので、地元のほぼ全員に近い子どもたちが入園して下さいました。しかしながら、その後は戦争へと向かう時代であり、また終戦後は保育園などの乱立もあって、園の経営状態は厳しく廃園が取りざたされた危機もあったといいます。

私が職員として園に入ったのは昭和四十一年。その当時も、園児は少なく施設・設備も古くなり、このまま園の経営を継続することは困難だと言われていました。そこで、園の改革や新たな取組みのために色々な研修会や講演会にも足を運んだのですが、私を納得させてくれるような話を聞くことはありませんでした。

そんなときに出会ったのが、大脳生理学者、時実俊彦先生の『脳と保育』（雷鳥社）という著作です。そこには、人間の脳は三歳までに凡そ六十％、六歳までに凡そ八十％が成長すると、つまりそれだけ幼児期における保育教育が大切であり重要だと記載されていたのです。しかし、あくまで大脳生理学者である時実俊彦先生は、「保育教育者たち自らが保育教育の未来を切り開いて下さい」と仰っていました。

その一節が、保育教育という道を歩み続ける私の大切な指針となりました。その後は、自ら子どもたちの振る舞いを真正面から受け止め、ご両親たちのひと言ひと言に耳を澄ませる一日一日を、大切に歩んでまいりました。そんな日々の中から生まれた言葉の数々、思いのあれこれが些少なりとも何かのお役に立つようなら幸いです。

最後になりましたが、この本づくりを薦めてくれた息子と、そして発刊にあたりご指導ご協力を頂きました多くの方々に心より深く感謝申し上げます。

学校法人星名学園 理事長　星名紀之

Musette
TOMBO